Introducción a la informática

para TORPES

María Jesús Meléndez Sánchez
Jorge Campos Fernández

INTRODUCCIÓN A LA INFORMÁTICA

Juan Ignacio Luca de Tena, 15. 28027 Madrid
Depósito legal: 978-84-415-3394-3
ISBN: M. 18.018-2013
Printed in Spain

Agradecemos todo el apoyo ofrecido por parte de nuestra familia durante la creación de este libro. Gracias Manuel, Guillermo, Selene y Ana por estar siempre ahí.

El tiempo fue nuestro enemigo,
tiempo que pasamos juntos,
tiempo al que vencimos.
¿Estará ahora de nuestra parte?
Siempre pasa volando, siempre es un cobarde.

Índice

Cómo ha cambiado la informática

Es asombroso cómo la informática ha pasado a ser uno de los aspectos fundamentales en nuestro día a día. Esta evolución nos ha facilitado el trabajo de una gran cantidad de tareas cotidianas, haciéndonos ahorrar tiempo y esfuerzo. Planificar nuestro tiempo libre, estar al día de las últimas noticias que ocurren en el mundo o mantener el contacto con familiares y amigos son algunas de las múltiples ventajas que nos ofrece el mundo de la informática e Internet.

Seguro que muchos de vosotros os habéis sentado delante de un ordenador y habéis dicho: "¿Y ahora qué hago?", "¿cómo funciona esto?", "esto es muy difícil...", "no entiendo nada, no sé cómo manejar esto". En este caso, hagamos mención a la famosa frase "nadie nace sabiendo". Con este libro pretendemos ayudar, sin importar la edad ni los conocimientos previos, a que os desenvolváis en vuestro ordenador, *smartphone* o tableta, aprendáis a sacarle partido y acabéis aplicando otra famosa frase: "Nunca te acostarás, sin saber una cosa más".

Suponemos que ya tenéis ganas de empezar a practicar con vuestros dispositivos, pero vayamos poco a poco. Hablemos antes sobre cómo los ordenadores de hoy en día han llegado a ser lo que son. Nuestra intención no es aburriros; por eso, vamos a ser breves en lo que a historia se refiere, es interesante saber cómo empezó todo y quiénes son los responsables de lo que actualmente conocemos como informática.

Así empezó todo

Hace siglos, cuando a nadie le preocupaba el nivel de batería de su teléfono, los números que ahora vemos como dígitos se representaban mediantes bolas en varillas de madera. El ábaco se considera el instrumento de cálculo más antiguo utilizado en diversas culturas para realizar operaciones aritméticas como sumas y restas. Hoy en día, aún se utiliza como herramienta de aprendizaje, sobre todo con niños. ¡Y pensar que de pequeños ya jugábamos con un antepasado de los ordenadores! El cálculo no evolucionó hasta que, aproximadamente en el año 1500, Leonardo Da Vinci diseñó una máquina compuesta de una serie de engranajes capaz de realizar sumas.

Figura 1.1. *El ábaco.*

Años más tarde, en 1614, el matemático escocés John Napier inventó un dispositivo muy simple que constaba de unos palillos con unos números impresos llamado tablas de Napier. ¡Seguro que se inspiró en el ábaco! Gracias a ellas, se podían realizar fácilmente operaciones complejas.

Se puede decir que la llegada de la computación fue en 1623 de la mano del alemán Wilhelm Schickard, quien creó una máquina que permitía sumar, restar, multiplicar y dividir de manera semiautomática. Y es que a nadie le gusta tener que hacer operaciones de memoria, ¡qué pereza!

En el año 1642, Blaise Pascal inventó una máquina que sumaba y restaba mediante unas ruedas dentadas que, al girar, permitían obtener el resultado de la operación. A esta máquina la denominó pascalina, un nombre muy curioso por cierto.

El filósofo y matemático Gottfried Leibniz continuó con el desarrollo de la pascalina, consiguiendo que, además de las cuatro operaciones básicas, su máquina lograra elevar al cuadrado. Además, Leibniz defendió el uso del código binario para el posterior desarrollo de la computación.

Figura 1.2. *Código binario.*

El código binario es el sistema básico que entiende un ordenador, en el que simplemente se utilizan los dígitos 0 y 1 para indicar las instrucciones a la computadora. Se puede asemejar al comportamiento de una puerta, donde 0 supondría una puerta cerrada y 1 una puerta abierta.

Joseph Jacquard creó en 1805 las tarjetas perforadas, las cuales utilizó para que sus telares funcionasen de manera totalmente autónoma.

Una de las personas más importantes en la historia de la computación fue Charles Babbage, quien, basándose en el sistema de tarjetas perforadas de su antecesor, creó la máquina analítica. Ésta podía realizar cualquier operación matemática llegando a una velocidad de sesenta sumas por minuto.

Siguiendo con las tarjetas perforadas, el estadounidense Herman Hollerith le dio un nuevo uso a éstas, utilizándolas como medio de almacenamiento de datos. Por ello, fue considerado el primer informático de la historia, es decir, el primero en lograr el tratamiento automático de la información. Hollerith creó una empresa para comercializar su invento que, después de cambiar varias veces de nombre, finalmente la compañía recibió el nombre *International Business Machines*, más conocida como IBM.

Las tarjetas perforadas son láminas de cartón que contienen información en forma de espacios perforados y no perforados, siguiendo el código binario (0 y 1).

Figura 1.3. *La empresa IBM.*

Después de este breve paseo por las primeras máquinas capaces de realizar cálculos aritméticos, pasemos a ver cómo fueron los primeros ordenadores y cómo ha sido su evolución a lo largo de los años.

Los ordenadores de antes

Ha llegado el momento en el que podemos utilizar el término "ordenador" como tal. En los años cuarenta, salieron a la luz las primeras máquinas que, aunque algunas de ellas todavía utilizaban tarjetas perforadas, eran completamente programables y automáticas. Hagamos un breve recorrido por la evolución de los primeros ordenadores. Siendo considerado el primer ordenador de la historia moderna, el Z-3, creado por Konrad Zuse en 1941, era totalmente automático y programable. Esto hace que fuera la computadora más potente y funcional hasta la fecha.

Durante la Segunda Guerra Mundial (1939-1945), los ingleses, entre ellos Alan Turing, crearon Colossus Mark I, la primera computadora electrónica. Estaba formada por más de 1.500 válvulas de vacío y aún utilizaba tarjetas perforadas. La salida de datos de esta máquina, como si de una impresora se tratase, se realizaba a través de un papel perforado, el cual tenía que ser traducido posteriormente a mano. Más tarde, en 1947, la Universidad de Pensilvania creó la denominada ENIAC. Fue la primera computadora totalmente digital y era capaz de realizar en tan solo un segundo lo que sus antecesores hacían en semanas. Pero tenía dos grandes inconvenientes; debido a sus altas temperaturas, necesitaba un sistema de aire acondicionado propio y su tamaño era tan enorme, que ocupaba un sótano completo de la universidad. ¡Pesaba casi 30 toneladas!

Ya por 1959, salió a la luz de la mano de IBM el modelo 7090, el primer ordenador que estaba formado por transistores. Esto redujo notablemente el tiempo que empleaba en realizar sus operaciones, incluso fue utilizado por la fuerza aérea estadounidense.

Los transistores sustituyeron a las válvulas de vacío, que eran poco fiables. El transistor es un componente pequeño que mejora el paso de la corriente eléctrica.

Llegamos a 1975, cuando se creó el modelo Altair 8800, basado en un procesador de la famosa marca Intel y siendo el primer microordenador. No nos dejemos engañar por su nombre, aún eran bastante grandes y pesados. Su sistema operativo fue creado por Bill Gates y Paul Allen, los que más tarde fueron fundadores de la conocida Microsoft.

Es la empresa Apple Computer la que, en 1979, saca a la luz el modelo Apple II, el primer microordenador que se fabricó en serie. Fue un éxito rotundo en ventas, sobre todo gracias a Visicalc, la primera hoja de cálculos para ordenador.

El modelo Apple I sólo se vendió a verdaderos aficionados y entusiastas de la tecnología.

El primer ordenador personal, lo que todos conocemos como PC (*Personal Computer*), fue lanzado por IBM en 1981. Se trataba del modelo 5150, siendo el primer ordenador en contar con un sistema operativo de Microsoft. Cuatro años más tarde, la propia IBM se encargó de crear el modelo 386, el primer ordenador portátil, que también contaba con sistema operativo de Microsoft.

Figura 1.4. *Bill Gates, cofundador de la empresa Microsoft.*

Tan sólo un año antes, en 1984, la compañía de la manzana, Apple, fundada por Steve Jobs y Steve Wozniak, presentó el Macintosh, un ordenador que disponía de interfaz gráfica, además de uno de los inventos más revolucionarios de la historia de la informática, el ratón. Antes del ratón y de la interfaz gráfica, las órdenes se enviaban mediante líneas de comandos escritas. ¡Todo es más rápido y fácil cuando tenemos nuestra flechita en la pantalla!

El siguiente avance llegó cinco años más tarde, con el modelo 486 de IBM, el cual tenía una mayor velocidad de procesador. Además, contaba con la última innovación de Microsoft, Windows 95. Este sistema operativo, a pesar de sus numerosos fallos, fue todo un récord de ventas y se utilizó durante varios años en un gran número de ordenadores.

Durante la presentación del sistema operativo Windows 98, se produjo un error provocando un pantallazo azul, es decir, un error grave en el sistema. Sin embargo, esto no impidió que Microsoft generase millones gracias a él.

El modelo de procesador Pentium 4 fue una gran revolución en el mundo de la informática. Aún muchos hogares cuentan con ordenadores con esta tecnología. Son mucho más potentes que la serie anterior de procesadores y, aunque su desarrollo finalizó en 2008, hoy en día siguen siendo unos de los procesadores más potentes que jamás se hayan fabricado. Por otro lado, Apple se encarga de desarrollar sus propios procesadores, aunque actualmente sus ordenadores utilizan procesadores Intel.

¿Procesadores?, ¿sistemas operativos?, ¿qué es todo eso? No os preocupéis, lo explicaremos todo a su debido tiempo. Sigamos con algo de nuestra época, las tecnologías de hoy en día.

Los ordenadores de ahora

En los últimos años, los ordenadores han evolucionado de una manera increíble y a una velocidad asombrosa, provocando que nuestros equipos queden obsoletos en muy poco tiempo.

La integración de los componentes de un ordenador es cada vez mayor, tanto es así que hoy en día existen ordenadores que no necesitan ratón ni teclado, como pueden ser los conocidos *smartphones* y las tabletas. Pasemos a clasificar los sistemas de los que disponemos en la actualidad.

Ordenadores de sobremesa

Es el ordenador de toda la vida, el que casi cualquier familia tiene en casa o en el trabajo. Se caracteriza por tener una ubicación fija. Desgraciadamente, tiene tendencia a desaparecer, aunque se resiste gracias a su robustez y comodidad a la hora de trabajar con él. Podemos disponer de multitud de periféricos, grandes pantallas y mucha potencia sin tener que gastar grandes cantidades de dinero.

Los podemos clasificar en ordenadores de marca y ordenadores clónicos. Pero ¿en qué se diferencian? Los ordenadores de marca son aquéllos en el que el fabricante determina las especificaciones de éstos, es decir, cómo será y qué llevará dentro, para que nos entendamos. Los ordenadores clónicos, por otro lado, son los que "fabricamos" nosotros mismos. Esto no quiere decir que vayamos a fabricar las piezas, ¿eh? Tranquilos, ¡no vais a tener que soldar nada! Nosotros seremos los encargados de escoger las distintas piezas que componen el ordenador, por ejemplo, el modelo de la caja, la capacidad de almacenamiento, etc.

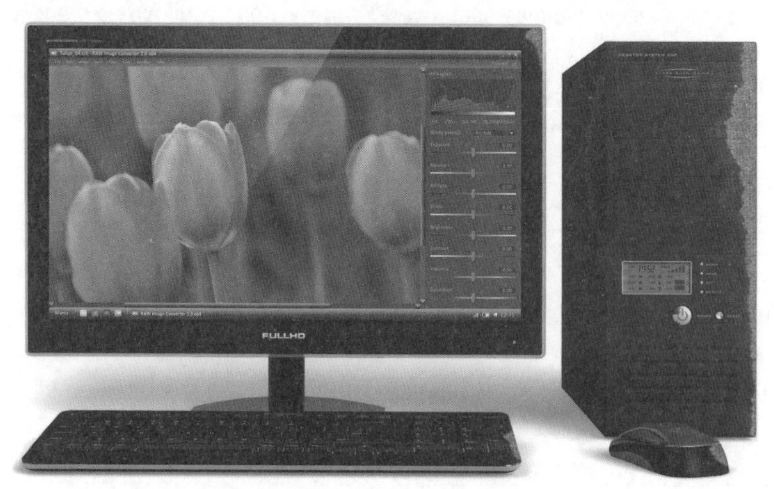

Figura 1.5. *Ordenador de sobremesa.*

> *Si no tenemos claro lo que queremos, lo mejor es un ordenador de marca, pues tendrá un mejor servicio de soporte y ayuda por parte del fabricante. Si, por el contrario, queremos unas especificaciones determinadas o una estética personalizada, optaremos por un ordenador clónico.*

Ordenadores portátiles

Son, en gran parte, los principales causantes de la extinción de los ordenadores de sobremesa. Al contrario que éstos, se pueden transportar de un sitio a otro, ya que son de tamaño y peso reducido. Es muy cómodo estar sentado en nuestro sofá trabajando con él y llevarlo donde quieras y usarlo sin conectar ni un solo cable. Pero no todo son ventajas, sus baterías, aunque cada día son más duraderas, tienen una capacidad limitada, lo que hace que necesitemos un toma de corriente cerca. Por otro lado, son mucho más susceptibles a la temperatura, uno de los principales motivos de avería.

Figura 1.6. *Ordenador portátil.*

Hoy en día, todos estos inconvenientes están prácticamente solventados. Sus baterías duran bastante tiempo, apenas se calientan, cuentan con una gran cantidad de conexiones y tienen una potencia y una capacidad igual o superior a un ordenador de sobremesa.

Ordenadores de bolsillo o PDA

Estos dispositivos están directamente relacionados con los *smartphones*, de los que hablaremos más adelante. Hay que distinguirlos, ya que muchos de los ordenadores de bolsillo no disponen de la función de teléfono. Se usa principalmente como agenda electrónica. Algunas de las tareas que podemos hacer con este dispositivo son escribir notas, consultar el correo electrónico, navegar por Internet, entre otras muchas cosas, todo ello con la ventaja de ser portátil. Los más actuales cuentan con GPS, gracias al cual podemos hacer uso de varias aplicaciones de navegación, que nos guían mediante instrucciones de voz. Ya no tendremos que utilizar nunca más esos gigantescos mapas de carretera.

Figura 1.7. *Ordenador de bolsillo o PDA.*

Smartphones

La palabra *smartphone* significa "teléfono" (*phone*) "inteligente" (*smart*). Esto no significa que el resto sean torpes, sino que estos teléfonos tienen unas características que les permiten realizar prácticamente las mismas tareas que un ordenador, incluso algunas más. Por supuesto, añadidas a las capacidades propias de un teléfono. Todos estos terminales, salvo alguna excepción, cuentan con tecnología táctil, es decir, manejo a través de los dedos, sin necesidad de botones. Existe una clasificación básica: gama baja, gama media y gama alta. Estos teléfonos cuentan con sistemas operativos muy avanzados y, al igual que en un PC, se pueden instalar multitud de aplicaciones, con las que se puede hacer prácticamente de todo.

Figura 1.8. *Smartphone.*

Actualmente, caben destacar tres sistemas operativos, que son: Android, iOS y Windows Phone. También disponemos en el mercado de Blackberry OS, Symbian y pronto estará disponible el sistema operativo del famoso navegador Firefox, recibiendo el mismo nombre que éste, Firefox OS. La elección de cada uno de ellos dependerá de varios factores, pero de esto hablaremos en otro momento.

Tabletas

¿Qué es una tableta? No, no tiene nada que ver con la madera ni con el chocolate. En resumidas cuentas, se trata de un *smartphone*, pero de mayor tamaño y sin las funciones de un teléfono. Suelen tener tamaños comprendidos entre siete y diez pulgadas, cuentan con los mismos sistemas operativos y prácticamente las mismas funciones que un *smartphone*. ¿Dónde se encuentra la diferencia?, os preguntaréis. Principalmente en su tamaño, son más cómodas y ligeras, tienen mayor autonomía y son más fáciles e intuitivas de usar. Actualmente, están orientadas al entretenimiento, la formación y al trabajo administrativo. Es la herramienta preferida de muchos jugadores, estudiantes y empresarios. Como en el caso de los *smartphones*, un poco más adelante hemos dedicado una parte del libro a este dispositivo tan de moda.

Figura 1.9. *Tableta.*

Qué hay dentro de mi ordenador

Seguramente, muchos de vosotros os habréis hecho esta pregunta en alguna ocasión. Es importante tener una ligera idea de lo que está compuesto nuestro ordenador y conocer las características básicas de sus componentes principales. Si prestamos un poquito de atención, acabaremos conociendo algunos datos importantes, como la capacidad de almacenamiento, los distintos periféricos que podemos encontrar, los tipos de conexiones que tiene nuestra placa base, etc. A lo largo de este capítulo, nos adentraremos en nuestro PC, donde os explicaremos de qué partes consta y cuáles son las funciones de cada una de ellas. ¿Preparados? ¿Listos? ¡Ya!

CAJA O TORRE

También denominada, erróneamente, CPU. Es un elemento imprescindible, sin el cual no sería posible mantener nuestro ordenador en funcionamiento. Su función es muy simple, pero muy importante, ya que se encarga de albergar y proteger el resto de componentes, además de ayudar en su ventilación. Si observáis vuestra torre, veréis que ésta cuenta con varios orificios, pero no, no son para mirar a través de ellos, sino que ayudan a expulsar el aire caliente que reside dentro e introducen aire frío del exterior.

Existen diferentes tipos de cajas o torres, diferenciándose principalmente en su tamaño, lo cual condiciona el tipo de placa base que utilizará. Los tipos más comunes son los siguientes:

- **Barebone:** Son cajas muy pequeñas, por lo que su función principal es ocupar poco espacio. Se suelen utilizar para que un PC pase inadvertido o se necesite ahorrar espacio. El salón de casa o una pequeña oficina son los lugares más comunes donde podremos encontrarnos este tipo de caja. Sus principales inconvenientes son debidos a su tamaño; se calientan con facilidad y su expansión, es decir, añadir componentes internos, es casi nula.

- **Minitorre:** Es la más común hoy en día y tiene un tamaño perfecto para poder hospedar casi cualquier tipo de componentes en su interior. Posee espacio suficiente para guardar dos unidades de CD/DVD/Blu-Ray y tiene mejor ventilación que el barebone.

Figura 2.1. *La minitorre es la caja más utilizada en el ámbito doméstico.*

- **Semitorre:** Su tamaño es mayor que el de la minitorre y se suelen utilizar cuando se necesita una gran cantidad de componentes internos, como, por ejemplo, tarjetas de sonido, varias tarjetas gráficas, capturadoras de vídeo, etc. Podemos encontrar este tipo de torres en estudios de grabación musical, fotografía o televisión, aunque también suelen optar por ellas los amantes de los videojuegos.
- **Torre-servidor:** Son cajas enormes que contienen en su interior placas bases de gran tamaño, con varios procesadores, discos duros y un gran sistema de ventilación. No es el tipo que nos encontraremos en casa para realizar trabajos para el cole.
- **Rack:** Más que una caja, es prácticamente un armario, que cuenta con unas especies de baldas donde irán colocados varios ordenadores servidores. Se utilizan en grandes empresas o en centros de almacenamiento de datos.

En el interior de nuestra caja o torre podemos encontrar la fuente de alimentación. Es el elemento encargado de suministrar la energía a todo el equipo. En la parte trasera, encontraremos un conector al cual conectaremos un cable que le suministrará la electricidad necesaria para su funcionamiento. Este cable, al igual que otros, debe estar colocado correctamente. En este caso, es muy importante ya que si la corriente eléctrica no llega a nuestro ordenador, éste no se encenderá.

Figura 2.2. *Fuente de alimentación.*

En la imagen anterior podemos observar el conector donde colocaremos un cable de corriente, y un botón muy común de encendido y apagado. ¡Cuidado con este botón! Algunas veces, cuando todo está conectado correctamente, procedemos a encender nuestro PC y... ¿por qué no enciende? ¿Se ha estropeado? Comprueba que el botón está en la posición de encendido, si no, ¡no podremos acceder a él!

Placa base

Motherboard en inglés, también conocida como placa o tarjeta madre. ¡Es uno de los elementos fundamentales como su mismo nombre indica! Esto se debe a que el resto de elementos del ordenador van conectados a ella. Está compuesta por varios circuitos integrados y multitud de componentes electrónicos.

Existen dos tipos de placas base en el mercado actual; ATX y MicroATX. ¿En qué se **diferencian**? En su tamaño y en la cantidad de bahías de expansión con las que cuentan.

Las bahías de expansión son ranuras en las que se pueden conectar, internamente, diferentes tarjetas adicionales, como, por ejemplo, una tarjeta gráfica.

Una placa base está compuesta por los siguientes elementos:

1. **Chipset:** Son circuitos impresos, muy similares al microprocesador, del que hablaremos un poco más adelante. Se encarga de gestionar las transferencias de datos entre los distintos componentes de la placa. En una placa base estándar solemos encontrarnos dos: *Chipset* Norte (*Northbridge*) y *Chipset* Sur (*Southbridge*).
2. **BIOS:** Es un conjunto de instrucciones básicas que van grabadas en la placa base. Permite funcionalidades básicas, como pueden ser el manejo de teclado, reconocimiento de dispositivos o la carga del sistema operativo, entre otras.
3. **CMOS:** Pequeño chip de memoria que alberga cierta información importante como la configuración del equipo, la fecha y la hora. Esta información se mantiene guardada aunque el equipo no esté conectado a la red eléctrica. Lo consigue gracias a una pila que se coloca en la propia placa.
4. **Socket CPU:** Es un pequeño cuadrado en el que se coloca el microprocesador. Éste queda fijado mediante un sistema de sujeción, el cual varía en función del fabricante de la placa base y del procesador.
5. **Ranuras RAM:** Estos espacios están destinados a la colocación de la memoria RAM de nuestro ordenador. Las placas actuales suelen contar con cuatro ranuras. La cantidad máxima de memoria instalable depende del fabricante, aunque suele oscilar entre los cuatro y los dieciséis gigabytes.

Figura 2.3. *Placa base.*

6. **Ranuras AGP y PCI-E:** Muchas placas base cuentan con un chip gráfico (tarjeta gráfica) integrado, pero, a su vez, cuentan con dos ranuras destinadas a la instalación de tarjetas gráficas. En las ranuras PCI-E se pueden instalar otros dispositivos, como, por ejemplo, una tarjeta de sonido.
7. **Ranuras PCI:** En estas ranuras se suelen instalar tarjetas de red, tarjetas de sonido, capturadoras de vídeo, etc. Se sitúan al lado de las ranuras PCI-E y AGP y son varias, normalmente entre dos y seis.

Figura 2.4. *Motherboard o placa base.*

8. **Conectores IDE y SATA:** Se utilizan para conectar las unidades de almacenamiento, como pueden ser discos duros, unidades lectoras y grabadoras. Los conectores IDE (*Integrated Drive Electronics*, Electrónica de disco integrada) están desapareciendo y los fabricantes ya optan por dotar a sus placas hasta de ocho conectores SATA (*Serial Advanced Technology Attachment*, Dispositivo conector de tecnología avanzada).
9. **Puertos PS2:** Son puertos destinados a la conexión de teclados y ratones. Cada vez se utilizan menos y están siendo eliminados de las placas gracias a las mejoras que ofrecen los puertos USB. En la figura 2.5, podemos identificarlos en la parte de la izquierda arriba y abajo.
10. **Puertos USB:** Es posiblemente el puerto más utilizado en un ordenador. A este puerto se le pueden conectar multitud de dispositivos, como, por ejemplo, teclados, ratones, cámaras Web, discos duros externos, *pendrives*, etc. Una placa base actual puede contar al menos con cuatro o seis puertos USB, aunque es posible ampliar el número mediante concentradores que, conectados a un puerto USB, proporciona cuatro o seis puertos adicionales.
11. **Conector RJ-45:** Parecido al conector de un teléfono fijo, está destinado a conectar un cable desde nuestro PC hasta un *router*, módem o cualquier dispositivo de red, para mantener una conexión a Internet o a una red. Podéis ver cómo es este conector en la figura 2.5, situado en el segundo bloque de la derecha, justo arriba de los conectores USB.

Figura 2.5. *Conectores de la placa base.*

Cuándo veis una placa base, ¿no os recuerda a una gran ciudad en miniatura?

12. **Conectores VGA, DVI, HDMI o Displayport:** El conector VGA (*Video Graphics Array*, Matriz gráfica de vídeo) se utiliza para conectar un monitor a nuestro PC, aunque también es posible conectar una televisión, siempre que ésta cuente con el conector correspondiente. Los conectores DVI, HDMI y *Displayport* proporcionan una salida de alta definición.

MICROPROCESADOR

También conocido como CPU (*Central Processing Unit*, Unidad central de procesamiento), o simplemente procesador, es denominado por muchos como el cerebro del ordenador, y no es para menos ya que es el encargado de tomar las decisiones importantes. A pesar de su pequeño tamaño, está compuesto por millones de componentes electrónicos, lo que hace que trabaje a una temperatura elevada. Por ello, necesita un sistema de ventilación propio, compuesto por un disipador y un ventilador.

Figura 2.6. *El cerebro de nuestro ordenador.*

Entre las funciones del microprocesador está la de ejecutar programas, ya sea el propio sistema operativo o bien aplicaciones del usuario. También realiza operaciones aritméticas y lógicas simples, como sumar, restar, multiplicar y dividir. ¡Sin él no podemos hacer nada! Existen dos fabricantes encargados de hacer los microprocesadores de nuestros ordenadores: AMD e Intel, que están en constante evolución para intentar crear el mejor procesador.

Un disipador es una pieza, normalmente de aluminio y cobre, que se encarga de transportar el calor para alejarlo del componente electrónico al que está unido. ¿Podremos utilizar nosotros uno en verano?

Figura 2.7. *Disipador y ventilador para el microprocesador.*

MEMORIA RAM

La memoria de acceso aleatorio en nuestro idioma, es el elemento principal de trabajo para el sistema operativo, ya que en ella se cargan todas las instrucciones que ejecuta el procesador, así como la mayoría de los programas. Su capacidad se contabiliza en megabytes, pero, a causa de su gran evolución, actualmente se utiliza el gigabyte como unidad de medida. Para conocer las unidades de medida, podéis consultar la tabla 2.1.

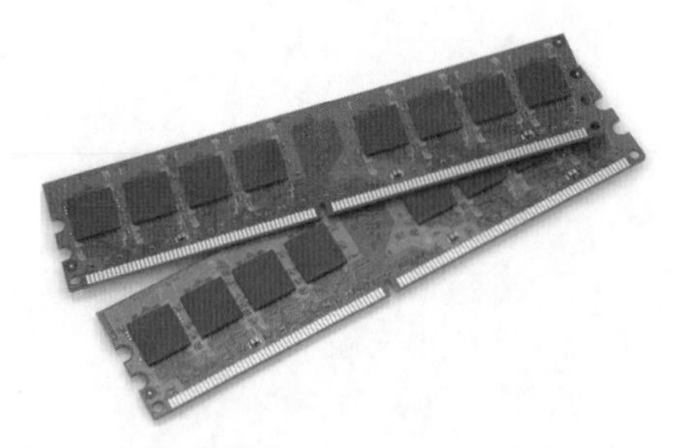

Figura 2.8. *Módulos de memoria RAM.*

Se denomina de "acceso aleatorio" porque se puede leer y escribir en una posición de memoria con un tiempo de espera igual para cualquier posición, no siendo necesario seguir un orden para acceder a la información. Su sistema de almacenamiento es volátil, es decir, cuando apagamos nuestro ordenador, la información cargada en memoria se elimina automáticamente. ¡Después no recuerda nada! Hoy en día, es muy común el aumento de memoria en un PC, porque, gracias a ello, se puede ejecutar una mayor cantidad de programas de manera simultánea, sin que por ello perdamos velocidad.

Tarjeta gráfica

¡Es el turno de los jugones! La tarjeta gráfica es la encargada de que los gráficos de nuestro ordenador se muevan con fluidez y calidad. No sólo está orientado a juegos, es necesario tener una buena tarjeta gráfica para poder reproducir vídeos, disfrutar de una experiencia agradable con nuestro sistema operativo, realizar montajes con nuestros vídeos y fotografías, etc. Muchas de ellas ya vienen dotadas de una salida HDMI de alta definición, permitiéndonos conectar nuestro PC a una televisión de última generación.

Si os gusta la edición de vídeos, fotografías o jugar a multitud de juegos en vuestro PC, ¡necesitaréis una buena tarjeta gráfica!

Las principales características a tener en cuenta en una tarjeta gráfica son: la capacidad, que al igual que la memoria RAM, se contabiliza en megabytes o gigabytes, y la velocidad de memoria, que es el tiempo que emplea en acceder a los datos que guarda en memoria.

Estas tarjetas cuentan con un sistema de refrigeración propio y, al igual que los microprocesadores, consta de un disipador y un ventilador en la mayoría de los casos. ATI y Nvidia son los dos fabricantes que se encargan de manufacturar los chips de todas las tarjetas gráficas del mercado.

Figura 2.9. *Tarjeta gráfica.*

Disco duro

El disco duro es fundamental en un ordenador. Es donde instalamos el sistema operativo, todos nuestros programas y almacenamos todos nuestros archivos. Fotografías, música, documentos... ¡todo está allí dentro! Este medio de almacenamiento es, al contrario que la memoria RAM, no volátil, lo que implica que al apagar el ordenador no se pierden los datos almacenados. ¡Menos mal! ¿Os imagináis que cada vez que apagáramos nuestro PC se borraran todos nuestros datos? ¡Sería un desastre! Los discos duros están formados por un conjunto de platos o discos rígidos que giran a gran velocidad dentro de una caja metálica sellada. Los encargados de leer y escribir la información son unos cabezales que flotan sobre la superficie de los discos.

Existen varios tamaños, pero los más utilizados son dos: 3,5 pulgadas y 2,5 pulgadas, utilizados en ordenadores de sobremesa y en portátiles, respectivamente. También contamos con el estándar de 1,8 pulgadas y 0,8 pulgadas. El primero es utilizado en reproductores multimedia, como, por ejemplo, el iPod de Apple, y el segundo se utiliza principalmente en telefonía móvil.

Aún se utilizan discos duros mediante conectores IDE, pero el estándar utilizado actualmente es el conector SATA. Su fácil instalación y una mayor velocidad son determinantes para esta elección. En la figura 2.11 podéis ver cómo son estos conectores. La capacidad de un disco duro es un factor importante, ya que determina la cantidad de información que podemos guardar. ¡Sin espacio no podemos almacenar nuestros datos! Existen diferentes unidades de almacenamiento y, mediante una tabla, os vamos a mostrar cuáles son.

Figura 2.10. *Disco duro.*

Figura 2.11. *Conectores IDE y SATA.*

> *¿Os acordáis del sistema binario? Un bit representa uno de los dos valores, 0 o 1. Es la unidad mínima utilizada en informática.*

Tabla 2.1. *Unidades de almacenamiento y su equivalencia.*

Unidad de almacenamiento	Abreviatura	Equivalencia
Byte	B	8 Bits
Kilobyte	KB	1024 bytes
Megabyte	MB	1024 kilobytes
Gigabyte	GB	1024 megabytes
Terabyte	TB	1024 gigabytes
Petabyte	PB	1024 terabytes

VENTILACIÓN

La temperatura es algo muy peligroso en nuestros ordenadores. Dentro de él se genera gran cantidad de energía calórica y es por ello por lo que necesitamos disponer de un buen sistema de refrigeración. Actualmente, existen dos tipos: la refrigeración líquida y la refrigeración por aire, siendo esta última la más habitual. Con este sistema de refrigeración se crea una circulación continua de aire, que se va renovando constantemente, eliminando el aire caliente del interior del equipo. ¡Deja nuestro PC muy fresquito!

PERIFÉRICOS

Denominamos periféricos a aquellos dispositivos independientes que podemos conectar a nuestro ordenador. Son los encargados de realizar las operaciones de entrada/salida, es decir, la comunicación entre el ordenador y el exterior, en este caso nosotros. Aunque los periféricos estén considerados como dispositivos no esenciales, algunos de ellos son necesarios para el funcionamiento del ordenador, como pueden ser el monitor, el teclado o el ratón. Existen tres tipos diferentes de periféricos. Conozcamos cada uno de ellos.

Periféricos de entrada

Estos dispositivos permiten que el usuario se comunique con su ordenador, enviando información desde el exterior. ¿Qué dispositivos son periféricos de entrada?

- **Teclado:** Siendo un periférico imprescindible para el manejo de nuestro ordenador, el teclado está compuesto de numerosas teclas que nos permite enviar información a éste. Dependiendo de las teclas, el teclado está dividido en cuatro bloques:
  - **Bloque de funciones:** Situado en la parte superior, este bloque va desde F1 a F12. Depende del programa que utilicemos, estas teclas pueden realizar una acción u otra.
  - **Bloque alfanumérico:** Ubicado en la parte inferior del bloque de funciones, contiene los números del 1 al 0 y el alfabeto organizado como en una máquina de escribir.
  - **Bloque especial:** Lo podemos encontrar a la derecha del bloque alfanumérico e incluye teclas como las flechas de direcciones o **Suprimir**, entre otras.
  - **Bloque numérico:** Se encuentra situado a la derecha del bloque especial. Incluye números y los signos de las cuatro operaciones básicas: suma (+), resta (-), multiplicación (*) y división (/).

Algunos teclados son más completos e incluyen botones especiales, por ejemplo, para abrir el correo o para pausar, avanzar o silenciar el audio de nuestro ordenador.

- **Ratón:** Al igual que el teclado, es un dispositivo fundamental a la hora de utilizar nuestro equipo. El ratón nos permite desplazarnos e interactuar en la pantalla del ordenador. El ratón más común está formado por una especie de rueda, que nos permite movernos libremente con un movimiento de arriba a abajo, y dos botones, con los que podemos realizar las diferentes acciones.

Figura 2.12. *Teclado y ratón.*

Podemos encontrarnos ratones que funcionen por cable y otros que sean inalámbricos, es decir, sin ningún tipo de cables. Hoy en día, estos dispositivos utilizan el mecanismo por láser, ¡sí, esa lucecita roja que aparece debajo! Antes, los ratones tenían una especie de bolita debajo que es la que nos permitía desplazarnos con él.

- **Micrófono:** Los sonidos que emitimos a través de estos dispositivos se transmiten a nuestro PC en forma de señales de audio. El micrófono en sí es un periférico de entrada, aunque existen diferentes tipos que son considerados periféricos mixtos, de los que hablaremos más tarde. En esta categoría incluimos el micrófono de escritorio, que está sujeto a una base y en el que varias personas pueden colaborar con la emisión o grabación del sonido.
- **Cámara Web:** Conocida también como *webcam*, es una pequeña cámara digital que permite capturar imágenes y después las transmite al ordenador. Se utiliza principalmente para realizar videollamadas. En la actualidad, la mayoría de los ordenadores portátiles incluyen una.

- **Escáner:** Gracias a este periférico, podemos convertir documentos o fotografías a formato digital, es decir, introducirlo como archivo en nuestro ordenador.

- **Tableta digitalizadora:** Es un periférico que nos permite introducir dibujos o textos escritos a mano, como si utilizáramos un papel y un lápiz. Estas tabletas son totalmente planas y utilizan un estilete, un instrumento de escritura similar al lápiz para pantallas digitales. Durante su utilización con el PC, la imagen no aparece en la tableta, sino que se muestra en la pantalla del ordenador.
- ***Gamepad* o mando para videojuegos:** Como su propio nombre indica, este dispositivo se utiliza para desplazarse e interactuar en los videojuegos instalados en nuestro equipo. Son muy similares a los utilizados en videoconsolas.

Figura 2.13. *Mando para videojuegos.*

Periféricos de salida

Se encargan de representar el resultado de uno o varios procesos del ordenador, es decir, los que muestran una respuesta a una acción o conjunto de acciones realizadas por el usuario. Éstos son algunos de los más utilizados:

- **Altavoces:** Son los encargados de emitir el sonido procesado por la tarjeta de sonido. Los modelos más sencillos están compuestos de dos altavoces estéreos, pero también nos podemos encontrar modelos más completos como el conocido "cine en casa", compuesto de seis altavoces.

- **Monitor o pantalla:** Junto al ratón y teclado, el monitor es un dispositivo imprescindible, porque sin él no podríamos saber lo que está pasando en nuestro ordenador. Proporciona la imagen emitida mediante la tarjeta gráfica. Existen diferentes tipos, entre los que destacan los monitores CRT o tubo de rayos catódicos, ésos que son grandes y pesados, y los monitores LCD, los más utilizados en la actualidad. Hoy en día, las resoluciones de las pantallas suelen ser más panorámicas.

Una pantalla de cristal líquido, LCD (Liquid Crystal Display), ofrece gran cantidad de ventajas como una mejor visualización o, respecto a su tamaño, son más fáciles de transportar y ocupan menos espacio.

- **Impresora:** Representa, normalmente en papel, cualquier gráfico, dibujo o texto almacenado en nuestro ordenador. Las impresoras más habituales son las que utilizan la tecnología de inyección de tinta, las de toda la vida. Actualmente están en auge, sobre todo en empresas, las impresoras láser, que, a pesar de ser más costosas, tienen una mayor calidad de impresión.

Periféricos mixtos

También llamados periféricos de entrada/salida, son los que utiliza nuestro ordenador tanto para enviar como para recibir información.

- **Impresora multifunción:** Además de la impresora tradicional, una multifunción incluye escáner y posee las funciones de una fotocopiadora. Algunos modelos también llevan integrados un lector de tarjetas y la función FAX.
- **Disco duro externo:** Es similar al que nos encontramos dentro de nuestro PC. Normalmente, estos discos duros están protegidos por una carcasa para evitar fuertes golpes o caídas. Gracias a su conexión USB, podemos conectarlo de forma sencilla al ordenador o incluso a una televisión que disponga de esta misma conexión.

- **Memoria USB:** Conocido también como *pendrive*, es un dispositivo de almacenamiento que nos permite guardar información. Se ha convertido en uno de los más utilizados hoy en día, gracias a su pequeño tamaño que nos aporta comodidad. Existen memorias USB de diferentes capacidades, tal y como ocurre con el disco duro tradicional o el disco duro externo: 1, 2, 4, 8, 16, 32, 64, 128, 256, 512 GB y hasta 1 TB. Existen memorias USB de diferentes tamaños, colores, formas... ¡hay algunas que son muy originales!

Figura 2.14. *Las memorias USB son muy utilizadas en la actualidad.*

Para recordar las unidades de almacenamiento, si pasáis unas cuantas páginas hacia atrás, podréis volver a leerlas.

- **Grabadora y/o lector:** Seguro que todos conocéis este periférico ya que la mayoría de los PC lo suelen traer de serie. Su principal función es leer, reproducir y grabar información. Depende del formato que utilicemos, las grabadoras/lectoras son de un tipo o de otro.

Cuando hablamos de formato, nos referimos a los CD, DVD o Blu-Ray. Este último es de los más utilizados en los últimos años debido a su gran calidad de imagen.

- **Monitor o pantalla táctil:** Con tan sólo un toque directo sobre su superficie, permite la entrada y salida de datos. También se puede utilizar mediante un lápiz óptico para una mayor precisión. Normalmente, vemos esta clase de monitores en restaurantes o tiendas, ya que su interacción es mucho más rápida e intuitiva. ¡Cuando un lugar está lleno de clientes, mejor acudir a lo rápido!

Sistema operativo

¿QUÉ ES?

En el capítulo anterior, explicamos cómo es un ordenador "físicamente", es decir, la parte que podemos tocar. A esta parte se le denomina hardware. Para que nuestro PC funcione correctamente, necesita un conjunto de programas (software) denominado sistema operativo, gracias al cual podemos realizar todas las tareas que hacemos normalmente. El sistema operativo es la base sobre la que funcionan el resto de programas, creando un enlace entre el hardware y las aplicaciones.

Existen multitud de sistemas operativos, incluso algunos de ellos son gratuitos. Es posible que el más conocido sea Microsoft Windows, puesto que a día de hoy es el más extendido, siendo Windows 8 su versión más actual.

No vamos a entrar en demasiados detalles, pero veamos cuáles son las principales funciones de un sistema operativo:

- Proporciona constantemente indicadores para diagnosticar el correcto funcionamiento del equipo.
- Gestiona la lectura, escritura y permisos de los archivos y usuarios.
- Controla el acceso de los programas a los dispositivos de entrada/salida disponibles.
- Gestiona la ejecución de aplicaciones, asignándole los recursos necesarios para su funcionamiento.
- Administra el espacio de la memoria RAM, de manera que libera la memoria no utilizada y la asigna si algún proceso la necesita.
- Se encarga de gestionar la carga del procesador, enviando escalonadamente tareas según la cantidad de trabajo que esté desempeñando el mismo.

Podemos clasificar los sistemas operativos dependiendo de varios factores.

Según el número de usuarios que pueden utilizar a la vez los recursos del sistema, los sistemas operativos pueden ser:

- **Monousuario:** Sólo puede ser ocupado por un único usuario en un determinado tiempo.
- **Multiusuario:** Permite que dos o más usuarios puedan utilizar sus aplicaciones al mismo tiempo.

Dependiendo del número de procesos que se pueden ejecutar a la vez en el sistema, los sistemas operativos pueden ser:

- **Monotarea:** Solamente puede ejecutar un proceso (programa) a la vez.
- **Multitarea:** Permite ejecutar varios programas o procesos de forma simultánea.

Según el número de procesadores que el sistema operativo es capaz de utilizar, se pueden clasificar los sistemas operativos de la forma siguiente:

- **Monoproceso:** El ordenador en el cual se utiliza el sistema operativo sólo tiene un procesador y el sistema operativo únicamente es capaz de manejar un procesador.
- **Multiproceso:** Si el sistema informático cuenta con dos o más procesadores, existen sistemas operativos capaces de gestionar varios procesadores a la vez.

¿Sistema operativo de 32 o 64 bits?

Es muy posible que hayáis escuchado alguna vez eso de "mi sistema operativo es de 32 bits...", pero realmente no tenéis ni idea de lo que significa. ¡Que no cunda el pánico! La próxima vez que lo escuchéis, sabréis de qué están hablando. Los términos 32 bits y 64 bits hacen referencia al modo en que el procesador (al que también denominamos CPU) de un equipo administra la información. La versión de 64 bits administra grandes cantidades de memoria RAM de forma más eficiente que un sistema de 32 bits.

Una vez sabido qué es un sistema operativo, ¡pasemos a conocer los más utilizados hoy en día!

Los sistemas operativos más utilizados

Una vez conocido el significado de sistema operativo, pasemos a conocer cuáles son los más utilizados en la actualidad y cómo han evolucionado a lo largo de los años.

Windows

Seguro que habéis escuchado alguna vez hablar de este sistema operativo. Si no es así, no os preocupéis si todo esto os suena a chino. ¿Recordáis la famosa empresa Microsoft, de la cual hablamos en el capítulo 1? Ella es la responsable de la creación de Windows. Este nombre pertenece a toda una familia de sistemas operativos, empezando su comercialización en 1985.Traducido a nuestro idioma significa "ventanas" y debe este nombre al uso de éstas en su interfaz gráfica.

Primeras versiones

La primera versión recibió el nombre de MS-DOS (*MicroSoft Disk Operating System*, Sistema operativo de disco de Microsoft) y fue creado en 1981. En 1982, se lanzó MS-DOS 1.0 y después fueron lanzadas siete versiones principales más. Todavía no se había desarrollado una interfaz gráfica, por lo que se trabajaba mediante comandos o instrucciones escritas por nuestro teclado.

En 1985, Windows 1.0 fue el primer intento de Microsoft de incorporar una interfaz gráfica en su sistema operativo. Además, gracias al ratón, podíamos desplazarnos libremente entre las "ventanas".

Windows 2.0 salió al mercado en 1987 y sus principales características fueron:

- Superposición de las ventanas, es decir, poner una ventana encima de otra.
- Integración de Panel de control.

Figura 3.1. *Microsoft, la empresa encargada de desarrollar Windows.*

- Se incluyeron nuevas aplicaciones gráficas, como Microsoft Word y Microsoft Excel.

Windows 3.0 (1990) mejoró su interfaz gráfica, así como un mejor uso de la gestión de memoria. También se incorporaron los famosos juegos que hoy en día todavía perduran en nuestro sistema operativo Windows, entre los que destaca el solitario y el buscaminas.

Poco después llegaron al mercado Windows 3.1 y Windows 3.11.

La familia Windows NT (*New Technology*, Nueva Tecnología) sacó a la luz su primera versión en 1993 y estaban orientados a estaciones de trabajo y servidores de red.

Fue un proyecto iniciado en la década anterior, con la intención de crear un nuevo sistema operativo de 32 bits desde cero, pero éste sufrió problemas de compatibilidad con el hardware y el software existentes.

Recordad que podéis diferenciar un sistema operativo de 32 y 64 bits en el apartado anterior. ¡Ahora ya sabéis la diferencia!

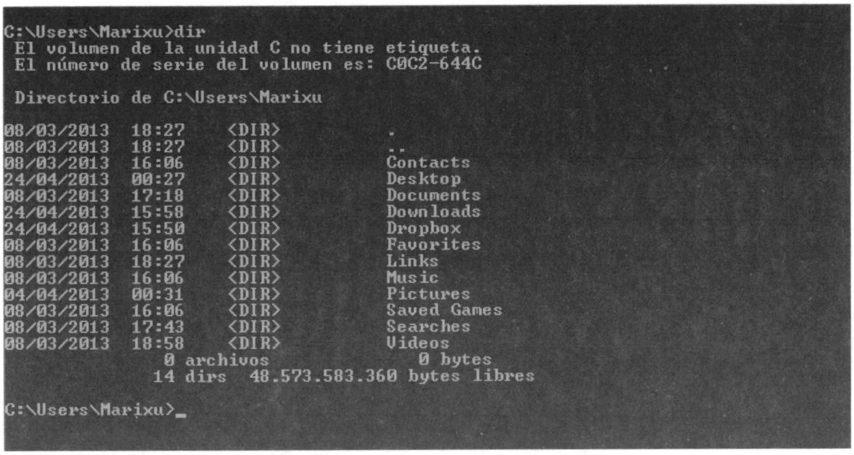

```
C:\Users\Marixu>dir
 El volumen de la unidad C no tiene etiqueta.
 El número de serie del volumen es: C0C2-644C

 Directorio de C:\Users\Marixu

08/03/2013  18:27    <DIR>          .
08/03/2013  18:27    <DIR>          ..
08/03/2013  16:06    <DIR>          Contacts
24/04/2013  00:27    <DIR>          Desktop
08/03/2013  17:18    <DIR>          Documents
24/04/2013  15:58    <DIR>          Downloads
24/04/2013  15:50    <DIR>          Dropbox
08/03/2013  16:06    <DIR>          Favorites
08/03/2013  18:27    <DIR>          Links
08/03/2013  16:06    <DIR>          Music
04/04/2013  00:31    <DIR>          Pictures
08/03/2013  16:06    <DIR>          Saved Games
08/03/2013  17:43    <DIR>          Searches
08/03/2013  18:58    <DIR>          Videos
               0 archivos              0 bytes
              14 dirs  48.573.583.360 bytes libres

C:\Users\Marixu>_
```

Figura 3.2. *Consola de comandos de MS-DOS.*

Es muy similar a la típica ventana negra que aparece muchas veces y ¡oh no! ¿Qué he hecho? ¿A qué botón le he dado? ¡No hay porque tenerle miedo!

A diferencia de Windows 3.1, que se apoyaba en MS-DOS, Windows NT era un sistema operativo por sí solo.

Las principales características de sus futuras versiones fueron:

- Soporte de archivos de gran tamaño.
- Mejora de la interfaz y solución de problemas de compatibilidad.
- Incorporación de características importantes para mejorar las comunicaciones y las aplicaciones de red.

Todos los sistemas operativos posteriores fueron basados en Windows NT.

Windows 95

Fue lanzado en 1995. Durante su desarrollo fue también conocido como Windows 4 o con el nombre en clave *Chicago*.

Debido a los grandes cambios y mejoras que incorporaba, este sistema operativo fue un éxito de ventas. Siguió sufriendo cambios en su interfaz y fue el primero en utilizar la tecnología *Plug and Play*. Ofrecía una mejoría en las funciones multimedia y características más eficaces para equipos informáticos móviles.

Plug and Play (conectar y usar) es una tecnología que permite conectar cualquier dispositivo sin necesidad de instalar un programa o software específico para su funcionamiento.

Las incorporaciones más importantes fueron las siguientes:

- Incorporación del conocido USB.
- Apareció por primera vez el botón **Inicio** y la barra de tareas.
- Se incluyeron los botones **Minimizar**, **Maximizar** y **Cerrar** en las "ventanas".

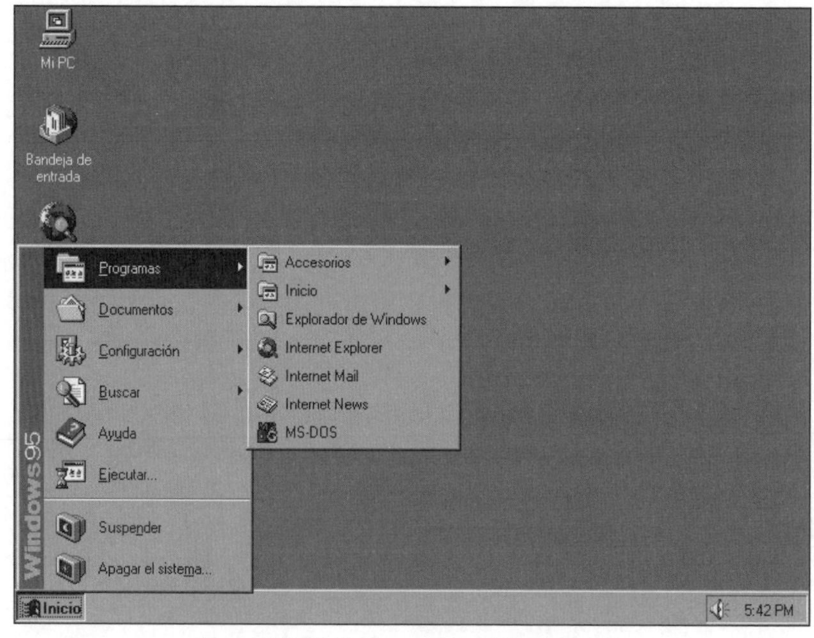

Figura 3.3. *Sistema operativo Windows 95.*

Su instalación en los PC podía realizarse mediante disquetes o CD-ROM, aunque este último ofrecía una selección de accesorios y complementos multimedia mucho mayor, juegos y versiones de prueba de algunos programas. El soporte de este sistema operativo finalizó en el año 2001.

Windows 98

En 1998, llegó Windows 98 o conocido también con el nombre en clave *Memphis*, diseñado específicamente para consumidores. Fue una versión mejorada de Windows 95, incluyendo, entre otras, una mejora en el soporte de USB y la incorporación de Internet Explorer 5.

Algunas de las mejoras que ayudaron a facilitar su uso fueron:

- Gracias a la nueva interfaz basada en páginas, la navegación por el PC era mucho más sencilla, al igual que la selección y apertura de archivos y programas y el uso del **Panel de control**.
- Ofrecía la posibilidad de conectar hasta ocho monitores o pantallas para ampliar el tamaño del escritorio. Esto era muy útil para tener distintas vistas de un juego o aplicación o ver múltiples aplicaciones al mismo tiempo.
- Incluyeron los botones **Adelante**, **Atrás** y **Subir** para facilitar la navegación en las carpetas.
- La facilidad de personalización del menú **Inicio**, permitiendo modificar los accesos directos ya creados y ubicarlos dependiendo de las necesidades de cada usuario.

Respecto al rendimiento del sistema operativo, Windows 98 mejoró la terminación de tareas comunes, como pueden ser la carga de aplicaciones o el inicio y cierre del sistema. Aumentaron el número de herramientas dedicadas al mantenimiento del equipo e incluyeron otras que ayudaron a solucionar los problemas más habituales que pudieran surgir durante el uso del ordenador. Hablaremos de este tipo de herramientas en el capítulo 8.

El soporte estándar para este sistema operativo terminó el 11 de julio de 2006.

¡Esto es interesante! Cabe destacar lo ocurrido durante su demostración pública. El presidente ejecutivo de Microsoft, Bill Gates, estaba destacando la facilidad de uso del sistema operativo y la mejora de soporte de Plug and Play (PnP). Sin embargo, cuando el gerente de programa Chris Capossela conectó un escáner, el sistema operativo sufrió un error, mostrando un pantallazo azul. El propio Bill Gates bromeó diciendo: "Debe ser por eso por lo que aún no estamos distribuyendo Windows 98".

Windows 2000

Tal y como su nombre indica, estuvo disponible en el año 2000 y fue un sistema operativo para empresas. Entre las tareas que realizaba nos encontrábamos con la creación de cuentas de usuario, asignación de recursos y privilegios, actuación como servidor Web y FTP o resolución de nombres de dominio.

FTP (File Transfer Protocol, Protocolo de transferencia de archivos) es un protocolo de red, es decir, un conjunto de reglas que utilizan los ordenadores para comunicarse entre ellos, para la transferencia de archivos.

Existen cuatro variantes de Windows 2000:

- Windows 2000 Professional.
- Windows 2000 Server.
- Windows 2000 Advanced Server.
- Windows 2000 Datacenter Edition.

Todo el soporte, incluidas las actualizaciones de seguridad, finalizaron el 13 de julio de 2010.

Windows ME

Windows Millennium Edition, más conocido como Windows ME, fue lanzado también en el año 2000.

Fue diseñado para el uso doméstico, pero no fue un sistema operativo muy popular debido a sus continuos errores y desventajas de uso. Esto ocasionó que muchos de los usuarios que utilizaban este sistema volvieran a utilizar rápidamente Windows 98.

Destacó la incorporación de una nueva característica denominada **Restaurar sistema**, que permite al usuario guardar y restablecer la configuración del equipo a una fecha anterior. ¡Qué buena idea esta!

El soporte técnico finalizó el 11 de julio de 2006.

Windows XP

En la actualidad, muchos equipos aún siguen utilizando este sistema operativo. Windows XP, cuyo nombre en clave fue *Whistler*, fue lanzado al mercado en el año 2001.

XP proviene de la palabra eXPeriencia (eXPerience).

Dispone de dos ediciones; una de ellas orientada al entorno doméstico, Windows XP Home, y otra orientada al entorno de negocios, Windows XP Professional.

Algunas de las características más notables que incorporaron en este sistema fueron:

- Ambiente gráfico más agradable y una nueva interfaz de uso más fácil, incluyendo herramientas para el desarrollo de temas de escritorio.
- Capacidad de desconectar un dispositivo externo, instalar nuevas aplicaciones y controladores sin necesidad de reiniciar el ordenador.
- Uso de varias cuentas. Permite al usuario guardar el estado actual de su escritorio dejando que otro usuario inicie sesión, sin perder la información de la primera.
- ClearType, diseñado para mejorar legibilidad del texto encendido en pantallas LCD y monitores similares.

- El Escritorio remoto permite a los usuarios abrir una sesión en un ordenador que disponga de Windows XP a través de una red o Internet, teniendo acceso a sus archivos, impresoras, y dispositivos.

Su nueva interfaz gráfica recibe el nombre de Luna. Destaca por su fácil manejo con respecto a versiones anteriores. Presentó algunos cambios como:

- Colores brillantes.
- Botón **Cerrar** de color rojo.
- Botones estándar de colores en las barras de herramientas de Windows e Internet Explorer.
- Un rectángulo azul translúcido en la selección de los archivos.
- Un gráfico en los iconos de la carpeta, indicando el tipo de información que se almacena.
- Sombras para las etiquetas del icono en el escritorio.

Figura 3.4. *Escritorio de Windows XP.*

¿Quién no ha visto alguna vez el famoso fondo de escritorio donde podemos ver un prado verde con un cielo azul? ¡Es conocido por todos!

- Capacidad de agrupar aplicaciones similares en la barra de tareas.
- Destaca programas recién instalados en el menú **Inicio**.
- Sombras bajo los menús.

Para mantener el sistema actualizado y seguro, Microsoft distribuyó unos paquetes denominados *Service Packs* (Paquetes de servicio). Desde su lanzamiento, desarrollaron:

- Service Pack 1 (2002).
- Service Pack 2 (2004).
- Service Pack 3 (2008).

Haciendo referencia al último paquete, Service Pack 3, tendrá soporte hasta 2014.

Windows Vista

Windows Vista fue mundialmente lanzado en 2007, más de 5 años después de la introducción de Windows XP, siendo el periodo de tiempo más largo entre dos versiones consecutivas de Microsoft Windows.

Los altos requerimientos de hardware necesarios para poder ejecutarlo correctamente y la gran cantidad de problemas de compatibilidad con programas y controladores hizo que no se cumplieran las expectativas esperadas.

Algunas de sus nuevas características son:

- **Windows Media Center:** Es una aplicación que permite la grabación y visualización de música, imágenes, vídeos y televisión grabada.
- **Windows Aero:** Nueva interfaz gráfica que incluye la transparencia en las ventanas. Además, permite tener una vista preliminar de las ventanas abiertas, con sólo pasar el ratón sobre los botones en la barra de tareas.

- **Windows Sidebar (Barra lateral de Windows):** Es una herramienta, ubicada en la parte derecha pantalla, diseñada para ejecutar pequeños programas en el escritorio, como la hora, el clima o buscar información en Google o Wikipedia.
- Un sistema para proteger el PC denominado **Windows Defender**.
- **Control de cuentas de usuario:** Es una característica del sistema que limita las operaciones de determinados tipos de usuarios en el equipo.

Windows Vista dispone de 6 ediciones y, al igual que Windows XP, sus actualizaciones se realizaron mediante Service Pack 1 y 2. Las ediciones son las siguientes:

- Windows Vista Starter Edition.
- Windows Vista Home Basic.
- Windows Vista Home Premium.
- Windows Vista Business.
- Windows Vista Ultimate.
- Windows Vista Enterprise.

El período de soporte es hasta el 11 de abril de 2017 (únicamente Service Pack 2). Sólo se proporcionarán actualizaciones de seguridad críticas.

Windows 7

Después del poco éxito que ocasionó Windows Vista, Microsoft creó Windows 7 para intentar recuperar la confianza del usuario. Fue lanzado oficialmente en 2009 y está diseñado para cubrir prácticamente cualquier dispositivo, es decir, equipos de sobremesa, ordenadores portátiles, tabletas, *netbooks* y equipos multimedia.

Básicamente, para que lo entendáis, Windows 7 es una actualización de Windows Vista, mejorando en todos los aspectos la anterior versión y solventando todas las carencias que presentaba.

Mejoró la interfaz y se trabajó en el mismo núcleo que Windows Vista, por lo que muchos controladores eran compatibles, al igual que muchas aplicaciones y programas desarrollados para Windows Vista. La usabilidad del sistema mejoró, haciéndolo mucho más accesible y sencillo para el usuario.

Windows 7 cuenta con numerosas mejoras, pero nos centraremos en las más importantes:

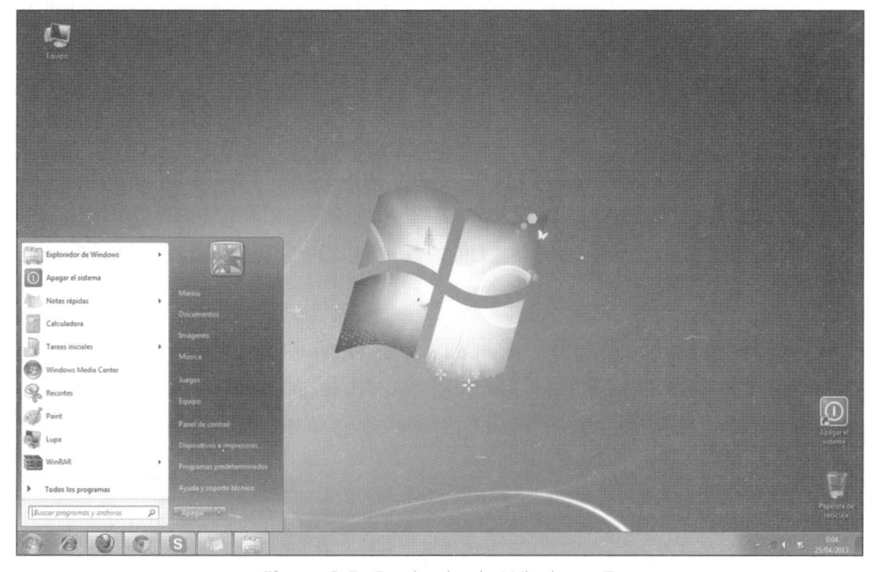

Figura 3.5. *Escritorio de Windows 7.*

- Mayor compatibilidad con dispositivos y aplicaciones, además de una completa integración con pantallas táctiles.
- Los pequeños programas llamados *gadgets*, situados anteriormente en Windows Sidebar, ahora pueden ubicarse libremente en cualquier parte del escritorio, siendo ésta eliminada.
- Nueva función en la que, arrastrando las ventanas a los laterales de la pantalla, éstas se maximizan o ajustan automáticamente.

- **Función Aero Shake:** Cuando se tienen varias ventanas abiertas, al hacer clic sostenido en la **Barra de Título** y agitarla, las otras ventanas abiertas se minimizan automáticamente.
- **Barra de tareas mejorada:** Su funcionamiento es mucho más simple, estable y ha mejorado la organización del espacio disponible. Permite anclar aplicaciones para ejecutarlas directamente desde la barra de tareas. Una vez abiertas, estas aplicaciones no ocupan espacio adicional dentro de la barra.
- **Modo XP:** Es posible incorporar una versión virtual de Windows XP y utilizar todas sus funciones sin necesidad de tener dos sistemas operativos instalados.
- Nuevo botón para mostrar el escritorio situado en la parte inferior derecha. Con tan sólo situar el puntero del ratón encima, obtenemos una vista previa del escritorio; si hacemos clic, se minimizan automáticamente todas las ventanas abiertas.

En 2011, se lanzó el primer Service Pack para Windows 7, que agrupa numerosas mejoras para el sistema y multitud de actualizaciones relacionadas principalmente con la seguridad. Al igual que Windows Vista, Windows 7 dispone de diferentes ediciones:

- **Starter:** Se trata de una versión básica de Windows 7, orientada a *netbooks* y equipos con pocos recursos. Dispone de una versión incompleta del sistema, que carece de las funcionalidades más avanzadas, para que no requiera demasiados recursos.
- **Home Basic:** Posee más funcionalidades de conectividad y personalización, pero sigue siendo una versión reducida de Windows 7.
- **Home Premium:** Es la versión más indicada para un equipo doméstico orientado al ocio, disponiendo además de Windows Media Center, un reproductor de contenidos multimedia.
- **Professional:** Equivale a la versión Business de Windows Vista, pero incluye también las funciones de Home Premium, además de soportar protección cifrada de datos y copias de seguridad avanzadas.

- **Ultimate:** Principalmente añade características de seguridad y protección de datos en discos duros tanto externos como internos. Dispone de un amplio paquete multilenguaje.
- **Enterprise:** Es la versión más completa, dispone de las características de todas las versiones anteriores de Windows, pero además proporciona características adicionales. Es la edición más indicada para el entorno empresarial.

Windows 8

Es la última versión del sistema operativo de Microsoft y ha sido lanzado en octubre de 2012, aunque su desarrollo comenzó antes de que Windows 7 saliera al mercado.

Este sistema operativo está diseñado para entornos táctiles, aunque actualmente se instala en cualquier equipo, como los ordenadores portátiles o los de sobremesa.

Los requisitos del sistema son prácticamente los mismos que en Windows 7, por lo que los equipos que ya tenían instalada la anterior versión pueden actualizar sin problemas a Windows 8.

Pasemos a detallar las mejoras más importantes que posee este nuevo sistema operativo:

- La pantalla de Inicio, donde podrás encontrar todas tus cosas.
- Compatibilidad total con dispositivos USB 3.0
- Implementación de la interfaz Ribbon en el Explorador de Windows.
- Nueva tienda de aplicaciones, desde la cual podemos descargar e instalar multitud de software en nuestro equipo.
- Soporte Windows To Go, mediante el cual podemos instalar y ejecutar Windows 8 directamente desde una unidad de memoria externa, como por ejemplo un *pendrive*.

Figura 3.6. *Pantalla de Inicio en Windows 8.*

Figura 3.7. *Nueva Cinta de opciones de Windows 8.*

Ribbon *es una interfaz gráfica que está compuesta de varias cintas de opciones, donde se exponen todas las funciones que puede realizar el programa que estamos utilizando. En el caso de Windows 8, en el explorador de archivos, dispondremos de opciones como* Copiar, Pegar, *etc. Si os fijáis, ¡es muy similar a la Cinta de opciones de Microsoft Office!*

A diferencia de Windows 7, no incorpora las mismas ediciones que éste. En su lugar, las ediciones se han simplificado a:

- Windows 8 Single.
- Windows 8 Pro.
- Windows 8 Enterprise.
- Windows RT. Sólo disponible para tabletas.

Linux

Unas de las características que hace destacar a este sistema operativo es su denominación como software libre, es decir, es un sistema operativo que podéis adquirir, modificar y redistribuir libre y gratuitamente. Linux cuenta con una licencia GPL (Licencia pública general) y está desarrollado por colaboradores de todo el mundo. Fue creado por el finlandés Linus Torvalds en 1991 y está basado en Unix.

Unix es un sistema operativo multitarea y multiusuario desarrollado en 1969.

Gracias a la licencia GPL, los centros educativos y algunas empresas optan por este sistema operativo, ya que aporta una gran fiabilidad y ahorro en los costes de producción.

Dispone de un completo catálogo de programas, todos instalables desde el propio sistema. Si tenemos acceso a una conexión a Internet, es posible instalar cualquier programa de forma totalmente gratuita. Existe un gran soporte por parte de la comunidad de usuarios de Linux, gracias a la cual su utilización y aprendizaje es mucho más sencillo.

Linux es utilizada como base para otros sistemas operativos, como por ejemplo Android, el cual es utilizado en *smartphones* y tabletas. Hablaremos de él en este mismo capítulo.

Existen multitud de distribuciones Linux, pero haremos hincapié en aquéllas que van orientadas al uso doméstico.

¿Qué es una distribución Linux? Es un conjunto de programas basado en el núcleo Linux enfocados a satisfacer las necesidades de un grupo específico de usuarios. Por ello, existen distribuciones para hogares, empresas y servidores.

Éstas son las más utilizadas:

- **Debian:** Diseñado y programado por miles de voluntarios y colaboradores de todo el mundo, es una distribución no comercial que nació en el año 1993 y desde entonces ha servido de base para numerosas distribuciones de Linux. Cuenta con una enorme comunidad, gracias a la cual se lanzan constantemente nuevas versiones estables. Es una distribución orientada a usuarios de nivel medio-alto y normalmente su utilización está destinada al desarrollo de software para Linux.
- **Ubuntu:** Basada en Debian y orientado a usuarios noveles y medios, es posiblemente la distribución más utilizada. Su primera versión fue lanzada en 2004 y la última versión estable en 2012. Dentro de las distribuciones Linux, su cuota de mercado es del 49 por 100, gracias a su entorno gráfico y su capacidad multimedia y entretenimiento. Se han creado distribuciones modificadas para televisores (Ubuntu TV) y para teléfonos móviles (*Ubuntu for Android*). Véase la figura 3.8.
- **Linux Mint:** Basada en Ubuntu y Debian, es un sistema operativo diseñado para un usuario medio, haciendo hincapié en su facilidad de uso e instalación. Es un proyecto joven y en constante desarrollo, pero con una base muy trabajada y estable. Requiere de equipos algo más potentes que las distribuciones mencionadas anteriormente. Esto se debe a su entorno visual y a la cantidad de herramientas con las que cuenta una vez instalado.

- **OpenSuse:** Inicialmente, este proyecto fue denominado SUSE Linux, pero en su tercer lanzamiento pasó a denominarse OpenSuse. Posee un entorno gráfico muy cuidado y bastante intuitivo. Fue lanzado por primera vez en 1994 y su última versión estable fue lanzada en marzo de 2013. Está muy orientada al entorno doméstico, con un núcleo muy pulido para juegos 3D y multimedia.
- **Fedora:** Es un proyecto que, desde 2003, busca la difusión de software libre por el mundo, siendo la cuarta distribución más popular. Su última versión estable ha sido puesta a disposición del público en 2013 y cuenta con un desarrollo constante al igual que Debian. Posee varios repositorios de aplicaciones en los que prácticamente podemos encontrar programas para cubrir cualquier necesidad.

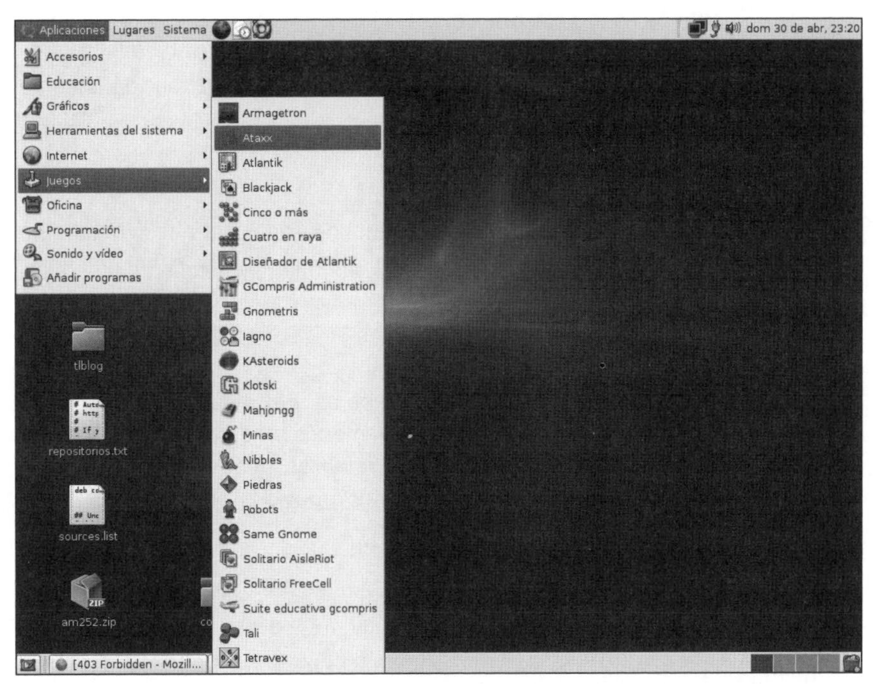

Figura 3.8. *Escritorio de Ubuntu.*

Un repositorio es una especie de almacén, que nos permite descargar software (programas) de manera gratuita. Hay repositorios destinados a un tipo de software determinado, por ejemplo, multimedia, y repositorios que disponen de software de carácter general.

- **Guadalinex:** Linux posee varias distribuciones orientadas al ámbito de la educación y Guadalinex es la que más utilizada actualmente. Basada en Ubuntu, cuenta con un gran potencial y una facilidad de uso. Incluye todo lo necesario para que sea un sistema totalmente utilizable. Está completamente en español y entre sus aplicaciones podemos encontrar:
  - *Suite* ofimática.
  - Navegador Web.
  - Cliente de correo electrónico.
  - Reproductores multimedia.
  - Juegos.
  - Editor de diseño gráfico.

Los responsables de su desarrollo son la Junta de Andalucía y de Extremadura. Su última versión estable fue lanzada en 2012, aunque hay pendiente una nueva versión para 2013.

¡Una curiosidad que os gustará! Aunque no es completamente invulnerable, el sistema operativo Linux es, en menor medida, vulnerable a sufrir infecciones en el sistema. En otras palabras, tiene menos posibilidades de obtener virus que, por ejemplo, Windows.

Mac OS

Identificada por el símbolo de una manzana, este sistema operativo está desarrollado, comercializado y vendido por la empresa Apple. En el capítulo 1, vimos cómo esta empresa, además de fabricar su propia línea de ordenadores (Macintosh), desarrollaron un sistema operativo para que éstos funcionaran, popularizando la incorporación de una interfaz gráfica compuesta por ventanas, iconos y menús. La primera versión recibió el nombre de Mac OS Classic, fue desarrollado íntegramente por Apple y salió a la luz en 1985. Su desarrollo se extendió hasta 1999. Este mismo año, lanzaron una nueva línea de sistemas operativos, recibiendo el nombre de Mac OS X. Por lo tanto, podemos diferenciar entre dos familias: **Mac OS Classic** y **Mac OS X**. ¡Hagamos un recorrido por las diferentes versiones de ambas familias!

Mac OS Classic

En enero de 1984, Apple Computer (actualmente Apple) introdujo el ordenador personal Macintosh, el cual incluía el sistema operativo Mac OS, conocido en esa época como *System Software*.

Primeras versiones

Su primera versión recibió el nombre de System (o System 1) y se distinguía fácilmente de otros sistemas operativos debido a que fue uno de los primeros en usar completamente una interfaz gráfica de usuario. Contaba con una aplicación llamada Finder, utilizada como administrador de archivos y estaba ubicada en el escritorio. Era un sistema monotarea, es decir, no podía trabajar con más de una aplicación a la vez y el contenido de la papelera era eliminado después de reiniciar el ordenador. El sistema de archivos estaba incompleto, no pudiéndose crear carpetas dentro de otras carpetas.

System 2 fue lanzado en 1985, mejoró notablemente respecto a su versión anterior. Incrementó la velocidad de Finder y fueron añadidas nuevas opciones como crear nuevas carpetas, el botón **Apagar** y los archivos eran listados de forma vertical con un pequeño icono.

En 1986 salió a la luz System 3 y algunas de las características más importantes fueron:

- Incorporación de subdirectorios, lo cual permitía crear carpetas unas dentro de otras.

- Fueron agregados los botones de **Zoom** en la parte posterior derecha de la ventana.
- Actualización de la calculadora, mostrando un teclado numérico similar al del teclado.

Un año después, en 1987, System 4 fue incorporado en el Macintosh II. Éste solucionó algunos errores que acarreaban los anteriores sistemas.

Ese mismo año, fue lanzado System 5, el cual incorporó la aplicación MultiFinder, permitiendo trabajar con varias aplicaciones a la vez. Estuvo disponible poco tiempo y sólo en algunos países, incluyendo Estados Unidos, Europa y Canadá.

En 1988, System 6 fue una versión consolidada de Mac OS, produciendo un sistema operativo completo, estable y de larga duración. La característica multitarea era opcional, podía utilizar Finder o MultiFinder, dependiendo de lo que deseara el usuario.

System 7

Introducido en mayo de 1991, fue el principal sistema operativo de Mac hasta ser sustituido por Mac OS 8 en 1997. Fue la primera versión que requería un disco duro debido al amplio tamaño de los archivos instalados, que ya no cabían en un disquete. Algunas de sus características fueron:

- Sistema multitarea nativo, es decir, ya no dependía de la aplicación MultiFinder.
- La papelera se convirtió en una carpeta formal, por lo que los archivos no se borraban al reiniciar el equipo.
- El accesorio del escritorio Panel de control se convirtió en la carpeta `Paneles de control`.
- El menú Aplicaciones, una lista de las aplicaciones en ejecución, disponía de su propio menú. Además, se introdujo la tecnología **Ocultar/Mostrar**, permitiendo al usuario ocultar aplicaciones de la vista mientras que todavía seguían ejecutándose.

- Una nueva interfaz de usuario llena de color. Aunque esta característica se hizo como una mejora de la interfaz visual, era opcional.

Mac OS 8

Esta versión fue un éxito de ventas y fue lanzada mientras Apple desarrollaba la siguiente generación de sistemas operativos, Mac OS X. Contaba con varias mejoras:

- Un nuevo panel de control.
- Incorporación de Simple Finder, una versión reducida de Finder, diseñada para usuarios principiantes.
- Una versión mejorada del escritorio.

Mac OS 9

Fue la última versión de Mac OS, introducida en 1999 y sucedida por Mac OS X. Este sistema, al igual que todos los de esta familia, carecía de algunos servicios y prestaciones comunes en los sistemas de su tiempo. Sin embargo, presentaba numerosas ventajas con respecto a los anteriores Mac OS, como por ejemplo una interfaz para varios usuarios (multiusuario), búsqueda avanzada y mayor compatibilidad.

¿Sabéis porque el logo de Apple es una manzana mordida? Se dice que es un homenaje a Alan Turing, el hombre que sentó las bases de la era moderna de la computación y murió al morder una manzana que tenía cianuro el 7 de junio de 1954.

Mac OS X

OS X es la décima versión del sistema operativo creado por la empresa Apple. En versiones anteriores, utilizaban los números cardinales para distinguir las diferentes versiones pero, en este caso, la X, representa el 10 en números romanos.

Su primera versión fue Mac OS X Server en 1999, aunque fue reemplazada por otra versión en 2001. Las distintas versiones de Apple reciben el nombre de grandes felinos. ¡Veamos cuáles son!

Figura 3.9. *Logo de la empresa Apple.*

Versión 10.0 - Cheetah (Guepardo)

Esta versión sustituyó a Mac OS X Server, siendo lanzada en marzo de 2001. La versión inicial era lenta, estaba incompleta y tenía muy pocas aplicaciones disponibles al momento de su lanzamiento, casi todas de desarrolladores independientes. Después de corregir algunos errores de software, los *kernel panics* se hicieron menos frecuentes.

Algunas de sus características fueron:

- **Mail:** Cliente de correo electrónico.
- **Address Book:** Libreta de direcciones.
- **Text Edit:** Nuevo procesador de texto para reemplazar al *SimpleText*.
- **Multitarea prioritativa:** Capacidad de dar más prioridad a un proceso que a otro.

Un kernel panic (pánico en el núcleo) es un mensaje mostrado por un sistema operativo una vez detectado un error interno de sistema del cual no se puede recuperar.

- **Soporte de PDF:** Capacidad nativa para la creación de ficheros PDF (*Portable Document Format*).
- Nueva interfaz denominada **Aqua**.
- **Memoria protegida:** Protección de memoria de modo que, si se corrompe una zona de memoria, las otras zonas no serán afectadas.

Versión 10.1 - Puma

Ese mismo año, en septiembre, fue lanzada como una actualización gratuita a la versión 10.0 en la que incrementaba el rendimiento del sistema a la vez que incorporaba algunas nuevas características tales como:

- Mejora en el rendimiento.
- Los discos DVD podían ser reproducidos en el **Reproductor de DVD** de Apple.
- Mayor soporte para impresoras.
- 3D mejorado.

Versión 10.2 - Jaguar

En el año 2002, salió a la luz la versión 10.2, la primera en usar su nombre en código en la publicidad. Introdujo una mejora en el rendimiento, un aspecto más elegante y un numeroso grupo de mejoras, incluyendo iChat, un cliente de mensajería instantánea.

VERSIÓN 10.3 - PANTHER (PANTERA)

Lanzado en 2003, este sistema operativo, además de tener un rendimiento mucho mayor, incorporó la mayor actualización en la interfaz de usuario. Entre las mejoras podemos encontrar:

- **Finder actualizado:** Incorporaba una interfaz metálica y búsqueda rápida.
- **Exposé:** Una nueva forma de manipular ventanas.
- **Cambio rápido de usuarios:** Permitía tener sesiones con diferentes usuarios abiertas al mismo tiempo y pasar de una a otra rápidamente.
- **iChat AV:** Añade soporte para videoconferencia a iChat.

VERSIÓN 10.4 - TIGER (TIGRE)

Salió a la venta en 2005 y tuvo más de 150 mejoras, pero, al igual que ocurrió con el lanzamiento de Panther, algunas máquinas antiguas dejaron de soportarlos. Las aplicaciones incluidas en versiones anteriores fueron mejoradas. Cabe destacar:

- **Spotlight:** Es un poderoso motor de búsqueda de texto, donde podemos buscar de todo, desde documentos de Word hasta contactos en la Libreta de contactos.
- **Dashboard:** Contiene mini aplicaciones conocidas como *widgets*. Cuenta con varias, como por ejemplo Clima, Reloj mundial, Conversor de unidades y Diccionario.
- **iChat:** El nuevo iChat AV soporta hasta cuatro participantes en una videoconferencia y hasta diez participantes en una conferencia de audio.
- **QuickTime 7:** Nueva versión del software multimedia de Apple, el cual ofrece ahora una mejor calidad y estabilidad. El nuevo reproductor incluye controles avanzados de audio y vídeo.
- **Safari:** Versión actualizada del navegador de Internet.

Fueron incluidas algunas aplicaciones nuevas:

- **Automator:** Sistema que permite llevar a cabo de forma eficaz y sencilla toda clase de tareas manuales y repetitivas de forma automática
- **Core Image y Core Video:** Tecnologías avanzadas de procesamiento de imágenes en tiempo real.
- **Diccionario:** Utiliza el *New Oxford American Dictionary*. Tiene una interfaz gráfica rápida para mostrar el diccionario y permite al usuario buscar con Spotlight, para imprimir definiciones y para copiar y pegar textos en documentos.

Versión 10.5 - Leopard (Leopardo)

Fue considerada como la mayor actualización de Mac OS X, saliendo a la luz en el año 2007. Esta versión trajo consigo numerosas funciones incluyendo una nueva apariencia, un mejorado diseño de Finder, un software para realizar copias de seguridad llamado Time Machine, nuevas funciones en Mail e iChat y nuevas características de seguridad.

Versión 10.6 - Snow Leopard (Leopardo de las nieves)

Lanzada en 2009, esta versión, en lugar de incluir grandes cambios en la apariencia y funcionalidades como ocurrió en las versiones anteriores, se centró en realizar cambios internos, como incrementar el rendimiento, la eficiencia y la estabilidad del sistema operativo.

Los cambios más notables fueron:

- Espacio ocupado por una instalación limpia del sistema operativo.
- Realización de copias de seguridad más rápidas en Time Machine.
- La nueva versión de Safari (4.0) mejora su rendimiento, lo que permite una navegación más veloz.
- QuickTime X fue totalmente renovado con una interfaz de usuario más fresca y más funcionalidades para los usuarios de QuickTime Pro.

Versión 10.7 - Lion (León)

Lion fue presentado en el evento *Back to the Mac*, en 2010. Incluye elementos heredados de iOS, sistema operativo móvil de Apple. Veamos cuáles son sus principales novedades:

- **Mac App Store:** Programa con el que se podrá descargar e instalar nuevas aplicaciones.
- **Launchpad:** Ofrece la posibilidad de cambiar la interfaz del sistema.
- **Mission Control:** Muestra una visión general de todo lo que está ocurriendo en el ordenador.
- **Aplicaciones a pantalla completa:** Es posible ver todas las aplicaciones en pantalla completa eliminando temporalmente elementos clásicos del escritorio. Además, no es necesario salir de la pantalla completa para cambiar de aplicación.

También sufrió algunas mejoras en la interfaz de usuario, como por ejemplo el nuevo diseño de los botones. ¡Este sistema operativo recibe el nombre del rey de la selva!

Versión 10.8 - Mountain Lion (León de montaña)

Es la última versión lanzada por Apple (2012) y la más utilizada en la actualidad.

Con esta nueva versión, Apple pretende potenciar el uso del almacenamiento en la nube mediante el sistema iCloud. Os preguntaréis: "¿Qué es el almacenamiento en la nube?". Echadle un ojo al capítulo 4, hablamos sobre ello. Algunas de las novedades con las que cuenta son:

- Gatekeeper, una nueva característica para prevenir o limitar instalar aplicaciones no fiables.
- Integración con Twitter y con Facebook.
- Game Center, un servicio de juego que permite compartir logros y puntuaciones con los personas que jueguen al mismo juego.

Otros sistemas operativos

Como podéis ver, existe variedad en cuanto a sistemas operativos. Windows, Macintosh y Linux son los más utilizados pero eso no quiere decir que sean los únicos. No obstante, os vamos a nombrar algunos que son utilizados en menor medida.

- Solaris: Está basado en Unix, al igual que Linux. Aunque originalmente no lo era, en la actualidad gran parte es de origen libre. Actualmente, se encuentra en desarrollo y su última versión estable pertenece al año 2011. Este sistema operativo necesita un mantenimiento profesional, motivo por el cual es utilizado principalmente por empresas.
- BeOS: Creado en 1990 con el fin de potenciar el rendimiento en aplicaciones multimedia, multitarea y gráficos. Al contrario que Solaris, no está basado en Unix. Posee núcleo propio y es un sistema monousuario.
- Chrome OS: Muchos de vosotros conoceréis el navegador Web Google Chrome; pues bien, resulta que Google en 2009 anunció su proyecto de sistema operativo. Está basado en Linux, por lo tanto, es software libre y es posible participar en su desarrollo. Google lanzó al mercado dos ordenadores portátiles con su sistema operativo integrado a unos precios muy competitivos. Su gran velocidad, capaz de iniciar el sistema en tan sólo 8 segundos, su batería hasta con 8 horas de autonomía y su precio, hacen que los equipos de Google sean una alternativa muy interesante respecto al resto de equipos portátiles del mercado.

Figura 3.10. *Logo de Chrome OS.*

Sistemas operativos "táctiles"

La evolución de la informática ha llevado a la expansión de dispositivos táctiles entre los usuarios, con lo cual se ha creado la necesidad de crear software orientado al manejo de pantallas táctiles. A continuación, veremos cuáles son los sistemas operativos que actualmente están en auge, nombrando sólo aquéllos que acaparan el 90 por 100 de la cuota de mercado en dispositivos táctiles.

- **Windows Phone:** Es el sucesor de la plataforma Windows Mobile, que finalizó su desarrollo a finales de 2010. La idea de crear Windows Phone era llegar al mercado de consumo, ya que Windows Mobile estaba orientado al entorno empresarial. Microsoft decidió que las aplicaciones de Windows Mobile no fuesen compatibles con Windows Phone, por lo que fue necesario el desarrollo de nuevas aplicaciones. Actualmente, existen un gran número de aplicaciones para Windows Phone 8, siendo ésta la última versión estable disponible.
- **Android:** Este sistema operativo, basado en Linux y desarrollado por Google, fue desvelado en el año 2007, aunque el primer móvil con Android se vendió en el año 2008. Cuenta con una gran cantidad de aplicaciones, de las cuales el 75 por 100 son gratuitas.

¿Sabíais que el robot verde de Android tiene nombre? ¡Nosotros os lo vamos a contar! El robot se llama Andy. Recibió el mismo nombre que uno de los cofundadores de Android, Andy Rubin.

Es utilizado en una amplia gama de dispositivos, como pueden ser teléfonos móviles, tabletas, ordenadores portátiles, netbooks, Google TV, relojes de pulsera, auriculares, entre otros. Al contrario que otros sistemas operativos, Android es un sistema de desarrollo libre, es decir, permite realizar modificaciones del sistema, así como desarrollar aplicaciones de manera totalmente gratuita.

Las distintas versiones de Android, curiosamente, reciben el nombre de postres (en inglés) y, añadiendo una curiosidad más, todas ellas empiezan por una letra distinta siguiendo un orden alfabético.

- A: Apple Pie (Tarta de manzana).
- B: *Banana Bread* (Pan de plátano).
- C: *Cupcake* (Magdalena).

Figura 3.11. *Sistema operativo Android.*

- D: *Donut* (Rosquilla).
- E: *Éclair* (Suso).
- F: *Froyo* (Yogur helado).
- G: *Gingerbread* (Pan de jengibre).
- H: *Honeycomb* (Panal de miel).
- I: *Ice Cream Sandwich* (Sándwich de helado).
- J: *Jelly Bean* (Judía de gominola).

- **iOS:** Este sistema operativo deriva de Mac OS X y está desarrollado íntegramente para dispositivos portátiles fabricados por la empresa Apple. Inicialmente, sólo estaba disponible para el teléfono móvil iPhone, pero fue aplicado posteriormente en el reproductor multimedia iPod Touch, la tableta iPad y el receptor digital multimedia Apple TV. Denominado anteriormente como iPhone OS, cambió su nombre en el año 2010. Sus distintas versiones van desde iOS 1.x (primera versión) hasta la actual, lanzada en marzo de 2013, iOS 6.x (sexta versión). Cuenta con soporte multilenguaje con 34 idiomas disponibles y una de las principales razones de su éxito es la facilidad de uso gracias al sistema de gestos, mediante los cuales se realiza todo el control del sistema de manera muy intuitiva (véase la figura 3.12).

Podéis leer más información sobre iOs y Android en el capítulo 10.

- **Blackberry OS:** Hizo su primera aparición en el año 1999 y está desarrollado para dispositivos móviles y tabletas que reciben su mismo nombre, Blackberry. La mayoría de estos dispositivos cuentan con un teclado físico completo. Está orientado a un uso profesional como gestor de correo electrónico y agenda, siendo su última versión Blackberry 7.1.

- **Firefox OS:** Como su nombre indica, está basado en el navegador de código abierto Firefox y está orientado a dispositivos móviles, incluidos los de gama baja. A pesar de que el proyecto se inició en 2011, su lanzamiento está previsto para 2013. ¡Su logo es la famosa bola del mundo junto con un zorro!

Figura 3.12. *Sistema operativo iOS.*

- **Symbian OS:** Fue un sistema operativo diseñado para *smartphones* y utilizado por muchas de las principales marcas de teléfonos móviles, como Samsung, Motorola, Sony Ericsson y, sobre todo, por Nokia. Su desarrollo finalizó en el año 2011, debido a que no era un firme competidor frente a otros sistemas operativos más populares como Android o iOS. Aun así, dispone de soporte hasta el año 2016.

- **MeeGo:** Al igual que Android, está basado en Linux y fue presentado como un sistema preparado para funcionar en *netbooks*, dispositivos portátiles, sistemas en vehículos, televisiones y *smartphones*. Su última versión estable fue lanzada en 2011 y, en la actualidad, Meego está siendo desarrollada por la compañía de microprocesadores Intel.

Internet

Internet, Internet, Internet... Todo el mundo habla sobre Internet. Lo escuchamos en todas partes, es algo nuevo para muchas personas, pero ¿qué es realmente? Es muy posible que muchas de esas personas que lo utilizan no sepan en qué consiste realmente ni cómo funciona y, por esa razón, os lo vamos a contar.

¿Qué es Internet?

Conocida también como "red de redes", se define como un conjunto de ordenadores o servidores conectados entre sí con el fin de compartir información. Para llevar a cabo dicha conexión, se necesita una gran cantidad de medios que realice una interconexión entre equipos que se encuentran repartidos por todo el mundo. Para ello, se utilizan diferentes tipos de cables, conexiones vía satélite, antenas de telefonía móvil, etc.

La palabra Internet proviene de la unión de las palabras Interconnected Networks (redes interconectadas).

A través de Internet podemos realizar cualquier tipo de tarea, desde consultar información sobre cualquier tema, comprar entradas para el cine, reservar mesa en un restaurante, hasta hacer la compra del mes, realizar transferencias en nuestro banco o hacer videoconferencias con personas que se encuentran a miles de kilómetros, entre otras muchas, y todo sin movernos de nuestro hogar.

¿No tenéis curiosidad por saber quién controla este enorme mundo llamado Internet? Pues bien, son varios organismos los que se encargan de ello. Varias organizaciones privadas se encargan de la seguridad y el orden en Internet, uniéndose a ellos los gobiernos mundiales, los cuales crean normas y protocolos para que el funcionamiento de la red de redes sea el mejor posible.

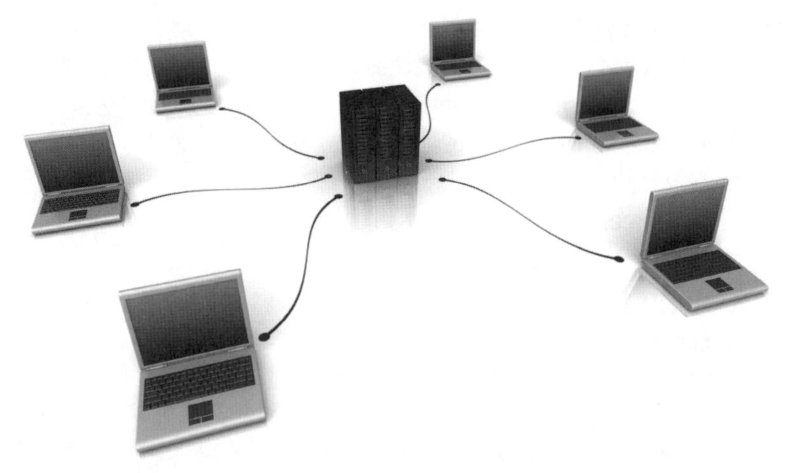

Figura 4.1. *Red de ordenadores donde éstos están conectados entre sí.*

Cabe destacar la cantidad de usuarios que residen en esta red. ¡Cada día son más! Hablamos aproximadamente del 20 por 100 de la población mundial, lo que hace que el control real de Internet esté en posesión de sus usuarios, ya que éstos son los que aportan constantemente contenidos a la red.

El nacimiento de Internet

Internet nació como un proyecto militar en Estados Unidos en los años 60. Dentro del Departamento de Defensa, se formó un grupo cuya intención era que este proyecto saliera adelante con el fin de expandir la tecnología más allá de los objetivos militares.

En 1967, nació ARPANET, la red de computadoras de la Agencia de Proyectos de Investigación Avanzada y su principal objetivo era mantener la comunicación entre los diferentes organismos del país. En 1969, se produjo la primera conexión entre ordenadores. Fue realizada por cuatro universidades americanas y, por aquel entonces, también nació el primer nodo. Para que lo entendáis mejor, un nodo es lo que hoy en día se conoce como un servidor, el cual aloja y distribuye los paquetes de datos.

Durante 1971 y 1972 se incrementó el número de equipos conectados a ARPANET, llegando hasta estar 23 equipos conectados entre sí. En estos años, también se envió el primer correo electrónico y nació *InterNetworking Working Group*, la organización encargada de administrar Internet. Un año más tarde se unieron a este proyecto Inglaterra y Noruega, aportando una computadora por cada nación.

En el año 1982 se definió el protocolo TCP/IP, que actualmente se sigue utilizando, y también concretó la definición del término Internet.

ARPANET desapareció en el año 1990 y, en 1991, se anunció públicamente el uso del sistema *World Wide Web* (WWW), que nos permite el acceso a cualquier página Web. Seguro que lo habéis visto cada vez que navegáis por Internet, ¿verdad?

En 1996, Internet contaba con más de diez millones de ordenadores conectados y muchas empresas decidieron invertir en este proyecto. Cuatro años más tarde, llegó lo que se conoció como "la burbuja .com", en la cual se invirtieron millones de dólares para luego generar una gran cantidad de pérdidas.

Anteriormente, hemos mencionado el protocolo TCP/IP. Este protocolo es la base de Internet y tiene la función de enlazar todos los ordenadores del mundo aunque éstos tengan diferentes sistemas operativos. La interconexión entre equipos se logra gracias a la dirección IP. Esta dirección es una numeración única que se les asignan a los diferentes equipos. De esta manera, pueden ser fácilmente localizables y la comunicación es más rápida y sencilla.

Conexiones a Internet más utilizadas

Hoy en día, la mayoría de los hogares disfrutan de una conexión a Internet, pero muchos de ellos desconocen el tipo de conexión que poseen. Existen diferentes conexiones para poder acceder a él, así que analicemos las conexiones habituales que actualmente se utilizan para acceder a este fantástico mundo virtual.

ADSL Y FIBRA ÓPTICA

Estas dos tecnologías son las más extendidas actualmente, aunque entre ellas existen bastantes diferencias.

Comenzaremos hablando de la más veterana, la línea ADSL. Seguro que habéis oído hablar de ella, ¿verdad? Sus siglas en inglés equivalen a *Asymmetric Digital Subscriber Line* que en nuestro idioma significa "línea de abonado digital asimétrica". Este nombre puede que no os diga nada, pero, tranquilos, vamos a explicarlo mejor para que lo entendáis. Esta tecnología utiliza cables de cobre de la línea telefónica para la transmisión de datos digitales, con lo cual los costes de distribución son bastante bajos. Esto quiere decir que proporciona dos servicios al mismo tiempo: servicio de voz (teléfono) y servicio de datos (Internet).

Figura 4.2. *Cable telefónico convencional.*

Para acceder a Internet mediante la tecnología ADSL, además de disponer de una roseta y un *splitter* en nuestro hogar, necesitamos un *router*, un dispositivo conectado a nuestro ordenador y a la línea telefónica para establecer el envío y la recepción de datos. Podemos encontrar *routers* Wi-Fi o inalámbricos, a los que nos podemos conectar sin necesidad de utilizar cable alguno, o por el contrario *routers* alámbricos, para los que sí necesitaríamos utilizar cables de red.

¿Qué es un splitter? ¿Para qué se utiliza? Es un elemento que se encarga de filtrar los datos para utilizar de manera simultánea el servicio telefónico y el servicio ADSL. ¿Sabíais que hace algunos años sólo podíamos conectarnos a Internet o hablar por teléfono? ¡No era posible hacer las dos cosas a la vez!

El ancho de banda es la cantidad de datos que puede transmitir la línea en un momento determinado.

Figura 4.3. *Router inalámbrico, ¡no más cables!*

Esta conexión tiene una serie de ventajas:

- **Buena velocidad:** ADSL ha evolucionado mucho, lo que ha hecho que la velocidad de conexión aumente llegando hasta los 20 y 30 Mbps. Esta velocidad es más que suficiente para realizar cualquier tarea en Internet, ya sea en el entorno doméstico como en el profesional.
- **Infraestructura:** Prácticamente allí donde llega una línea telefónica puede haber ADSL. La infraestructura da una gran cobertura en todo el territorio, por lo que es un servicio fácilmente accesible.
- **Precio:** Al ser un servicio con una infraestructura muy extendida, muchas compañías aprovechan para ofrecer el servicio por un precio muy reducido. En muchas ocasiones ni siquiera es necesario adquirir un *router*, pues lo ofrecen de manera gratuita.

¿Qué es eso de los "megas" que ofrecen las compañías telefónicas? La unidad correcta es Mbps (Megabytes por segundo) y se refiere a la velocidad a la que van los datos a través de nuestra línea. A más Mbps, ¡más velocidad!

Wi-Fi es la abreviatura de Wireless Fidelity (Fidelidad inalámbrica).

Pero no todo son ventajas, también existen algunos inconvenientes:

- **Cuota de línea telefónica necesaria:** Para tener servicio ADSL es necesario tener contratado previamente un servicio de línea telefónica, que habría que sumar a la cuota mensual de ADSL.
- **Limitaciones del servicio:** El servicio ADSL tiene una limitación importante. Su velocidad depende de la distancia a la que estemos de la central telefónica, es decir, a mayor distancia, mayor ruido se provoca en la línea. Esto no significa que el teléfono se escuche mal, sino que la velocidad de la conexión disminuye.

¡Le toca el turno a la fibra óptica! Seguro que también habéis escuchado hablar de ella en la televisión. Es una tecnología relativamente reciente y se podría decir que es la gama alta de las conexiones a Internet.

La fibra óptica se utiliza para enviar un gran volumen de datos a velocidades muy elevadas; por ello, es un medio de transmisión muy utilizado en telecomunicaciones. Un cable de fibra óptica está formado por varios hilos del diámetro de un cabello humano, que pueden estar hechos de vidrio o de materiales plásticos. A través de ellos se transmite la información mediante pulsos de luz.

A continuación, os resumimos algunas de las ventajas de este medio de conexión:

- **Ancho de banda:** Posee un enorme ancho de banda, pudiendo llegar hasta velocidades de 1 Tb/s (un Terabyte por segundo).
- **Más resistente al ruido:** Se puede decir que es prácticamente inmune a las interferencias de origen electromagnético, por lo que su velocidad de transferencia no se verá afectada.
- **Medio muy seguro:** El intrusismo en la fibra óptica se detecta con mucha facilidad, por lo que es complicado disfrutar del servicio si no se hace de manera legal.

Frente a estas ventajas nos encontramos con los siguientes inconvenientes:

- **Disponibilidad geográfica:** La fibra óptica no está disponible en todo el territorio nacional. Su instalación es muy costosa, pues se realiza bajo tierra, aunque la red de fibra óptica cada vez se está extendiendo mucho más.
- **Precio:** Ofrecen mayores velocidades que en ADSL y, unido al coste de su instalación, hace que su precio sea mayor. No obstante, las empresas telefónicas cada vez ofrecen precios más competitivos.

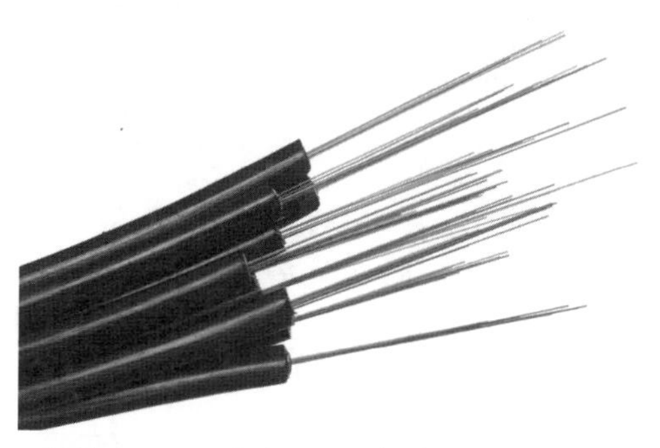

Figura 4.4. *La fibra óptica es una de las tecnologías más utilizadas en la actualidad.*

El operador ONO es la propietaria de la principal instalación de fibra óptica en España y posee una red de aproximadamente 50.000 km.

Satélite

Siendo el menos habitual, es la solución para aquéllos que no tienen la posibilidad de tener acceso a una conexión telefónica, por ejemplo, en zonas de difícil acceso o para disponer de ella en viajes o expediciones. Un satélite es capaz de transmitir y recibir prácticamente cualquier tipo de datos (señales de radio, televisión, telefonía). Si optáis por este tipo de conexión, debéis saber que su funcionamiento es diferente al ADSL y a la fibra óptica, pero es igualmente funcional.

Para poder tener acceso a Internet vía satélite es necesario la instalación de una antena parabólica y un módem para satélite. Ésta hace de enlace entre el satélite y el módem, encargándose de enviar y recibir los datos.

Figura 4.5. *Para una conexión a Internet vía satélite necesitamos instalar una parabólica.*

A la hora de instalar una conexión vía satélite, podemos elegir una de estas dos opciones:

- **Monodireccional:** En este caso, la antena parabólica sólo ejerce el papel de receptor, descargando la información del satélite en el módem. Para el envío de información, es necesaria una conexión terrestre, ya sea telefónica o por cable.
- **Bidireccional:** Aquí, la antena parabólica ejerce de emisor y receptor, enviando la información directamente al satélite y, como en el caso anterior, recibiéndola directamente desde éste.

Internet móvil

La movilidad es muy importante para muchas personas, por lo que las operadoras de telefonía móvil han mejorado sus servicios hasta tal punto que es posible disponer de una conexión de alta velocidad casi en cualquier sitio, incluso en movimiento.

Cuando hablamos de Internet móvil, nos referimos a la conexión de datos que nos ofrece nuestra operadora de telefonía móvil. La velocidad de esta conexión dependerá principalmente de la cobertura que tengamos en la zona en la que nos ubiquemos. Hay varias maneras de aprovechar este tipo de conexión, pero os vamos a explicar las más comunes:

- **Internet en el móvil:** Como hemos mencionado antes, la operadora brinda la posibilidad de tener una conexión a Internet directamente en nuestro teléfono móvil, pudiendo tener acceso desde cualquier sitio siempre que tengamos una buena cobertura.
- **Internet móvil para PC o tableta:** Algunos equipos portátiles y algunas tabletas cuentan con una ranura para introducir una tarjeta SIM. Para aquéllos que no dispongan de esa ranura, pueden adquirir unos módem USB, mediante los cuales se obtiene acceso a Internet de la misma manera.
- **Conexión móvil compartida:** Aquellas personas que tengan acceso a Internet desde su *smartphone* y cuenten con los sistemas operativos Android o iOS, tienen la posibilidad de compartir la conexión. Esta opción convierte nuestro teléfono en un punto de acceso, creando una red Wi-Fi para compartir Internet con cualquier dispositivo que cuente con un adaptador inalámbrico.

NAVEGA DE FORMA SEGURA

Más adelante, os mostraremos cómo afecta un virus a nuestro ordenador y las diferentes formas que existen para poder evitar sus múltiples ataques. Pero ahora, os proponemos una serie de pautas para que navegar por Internet no se convierta en una pesadilla.

Cuando accedemos a Internet, no nos paramos a pensar la cantidad de información que facilitamos en la red y, aunque os parezca mentira, esa información es muy accesible por parte de terceras personas. Es algo así como si hablásemos públicamente en la plaza del pueblo, ¡todo el mundo se entera! Aquí os dejamos una pequeña lista de consejos a tener en cuenta:

- Es imprescindible contar con un programa antivirus en nuestro dispositivo, sea un PC de sobremesa, un portátil, una tableta o un *smartphone*.
- Mantener nuestro programa antivirus actualizado.
- No es conveniente facilitar datos personales en chats públicos, foros o correos electrónicos.
- No acceder a nuestras cuentas bancarias desde cibercafés, locutorios, bibliotecas o cualquier otro lugar público con acceso a Internet.
- Desconfiar siempre de los correos electrónicos que nos soliciten la contraseña de nuestro correo o datos de nuestra entidad bancaria.
- Una dirección Web segura, como por ejemplo la de un banco, siempre empieza por `https`.
- Evitar abrir correos electrónicos de remitentes desconocidos.
- Antes de hacer clic en un enlace, comprobar si es realmente a donde quieres ir, ya que muchos enlaces esconden acciones maliciosas y posibles virus.
- Usar siempre navegadores Web actualizados.
- Siempre que entremos en nuestro correo electrónico desde un lugar público o en cualquier otro servicio que requiera contraseña, nunca hacer clic en la opción **Guardar contraseña**. De esta manera, la contraseña no quedará guardada en el equipo.

Estos consejos son muy importantes, ¡no olvidéis seguirlos!

Navegadores

Una vez que os hemos contado qué es Internet, los distintos tipos de conexión más utilizados y una recopilación de consejos para una navegación segura, ¡adentrémonos en este maravilloso mundo! ¿Y cómo podemos acceder a él? Para poder navegar por Internet, como su mismo nombre indica, utilizaremos los llamados navegadores. Definamos navegador como el programa encargado de interpretar el código de las páginas Web, para que, de esta forma, podamos ver de una forma gráfica y entendible todo su contenido. Actualmente, no sólo interpretan el lenguaje en el que están programadas las páginas web, sino que además muestran contenidos multimedia, como imágenes, vídeos o incluso reproducciones a tiempo real denominadas *streaming*.

La tecnología streaming se utiliza para optimizar la descarga y reproducción de archivos de audio y vídeo, permitiendo escuchar y visualizar los archivos mientras se están descargando.

El navegador más utilizado mundialmente es Internet Explorer, pero esto no quiere decir que sea el que mejor funciona. De hecho, es uno de los navegadores más odiados por los programadores Web debido a sus numerosas incompatibilidades. Aun así, Microsoft lo incluye de serie en sus sistemas operativos y esto hace que prácticamente todo el mundo lo tenga instalado en sus equipos.

Si nos movemos al entorno Mac, nos encontramos con Safari, un navegador con unas prestaciones muy interesantes, muy rápido y que presume de consumir pocos recursos. Al igual que Internet Explorer es el navegador por excelencia de Windows, Safari lo es en OS X. Este navegador cuenta con su versión para Windows, que es actualizada periódicamente.

Volviendo a Windows, nos encontramos con una gran variedad de navegadores, pero nosotros os vamos a recomendar tres alternativas a Internet Explorer:

Figura 4.6. *Safari es el navegador utilizado en OS X de Apple, aunque también cuenta con una versión en Windows.*

- **Google Chrome:** Es un navegador creado por Google basado en software libre, fue lanzado en 2008 y se ha convertido en un navegador muy rápido, fácil de usar y con un consumo de recursos muy reducido. ¡Pruébalo! `www.google.es/chrome`.
- **Mozilla Firefox:** El navegador alternativo a Internet Explorer por excelencia, es probablemente el más conocido de los tres. También es un modelo de software libre y su salida a la luz fue en 2004. Podéis descargarlo aquí: `www.mozilla.org/firefox`.
- **Opera:** Rápido, estable, veterano; éstas son sus principales características. Nació en 1996 y es uno de los navegadores más depurados que nos podemos encontrar, es decir, apenas contiene errores. No es de desarrollo libre, pero cuenta con componentes de código abierto. Ésta es la dirección de descarga: `www.opera.com/es`.

Figura 4.7. *Visión general de los distintos navegadores.*

Como podéis observar, todos los navegadores tienen un aspecto físico similar. Su funcionamiento y características son prácticamente las mismas, por lo que su elección es una mera cuestión de gusto y experiencia personal con cada navegador.

Todos ellos comparten una misma estructura básica, ¡veamos cuál es!

- **Barra de direcciones:** Es el lugar donde escribimos la dirección de la página Web que deseamos visitar.
- **Botones de desplazamiento:** Estos botones nos ayudan a movernos hacia delante y hacia atrás por las páginas que ya hemos visitado.
- **Acceso directo a la página principal o de inicio:** Normalmente representado por el icono de una casa, simplemente haciendo clic sobre él, volvemos a nuestra página de inicio. Si no sabéis de qué se trata, ¡seguid leyendo! Un poquito más adelante hablamos de ella.
- **Historial:** Gracias al historial, podemos volver a esas páginas que ya hemos visitado anteriormente.

- **Favoritos:** ¿Tenéis varias páginas Web que visitáis a menudo? Simplemente guardándolas en favoritos podréis acceder a ellas de manera mucho más rápida.
- **Buscador:** La mayoría de los navegadores incluyen un buscador, normalmente situado a la derecha de la barra de direcciones.

¿Estáis listos para utilizar un navegador para acceder a Internet? Simplemente debéis escribir la dirección deseada en la barra de direcciones y... ¡a navegar!

Tu página de inicio

La página de inicio es aquélla que vemos cuando abrimos el navegador por primera vez. Algunas personas no se preocupan de cambiar esta página, pero existen otras que desean tener una página Web en concreto. Puede ocurrir que, al instalar algún programa en nuestro ordenador, ésta se cambie automáticamente sin que nos demos cuenta.

Cada navegador tiene su forma de definir una página de inicio; por ello, os vamos a enseñar a cambiar vuestra página de inicio en los tres navegadores más usados.

Internet Explorer

- Pulsamos la tecla **Alt** para desplegar la barra de menús.
- Hacemos clic en **Herramientas>Opciones** de Internet y aparecerá un cuadro como el mostrado en la figura 4.8.
- En la pestaña **General** (nos ubicamos en ella por defecto), escribimos la página Web que queramos que sea nuestra página de inicio en el espacio correspondiente.
- Para guardar los cambios, hacemos clic en **Aplicar** y luego en **Aceptar**.

Figura 4.8. *Cuadro de diálogo de las opciones de Internet Explorer.*

Mozilla Firefox

- Pulsamos la tecla **Alt** para desplegar la barra de menús y hacemos clic en **Herramientas>Opciones**.
- Por defecto, nos aparece seleccionada la opción **General**. Escribimos la dirección deseada en el cuadro correspondiente.
- Hacemos clic en **Aceptar** para guardar los cambios realizados.

Tanto en Internet Explorer como en Mozilla Firefox, como podemos observar en las figuras 4.8 y 4.9, tenemos la opción de hacer clic en el botón **Usar actual/Usar página actual**. *Haremos clic sobre este botón en el caso de que actualmente nos encontremos en la página deseada a la hora de configurar la página de inicio.*

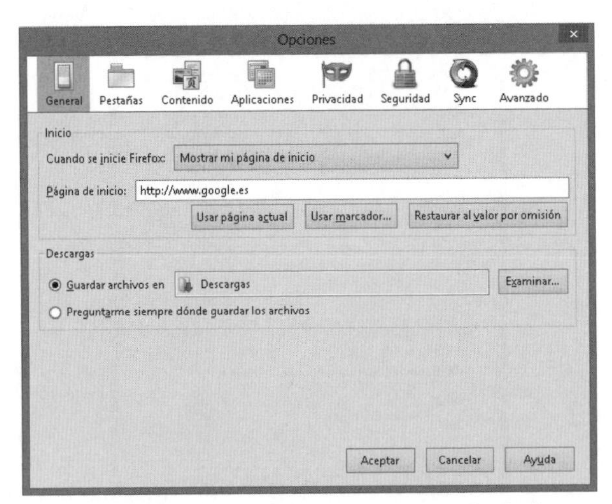

Figura 4.9. *Opciones del navegador Mozilla Firefox.*

Google Chrome

- Para desplegar el menú de opciones de este navegador podemos pulsar la combinación **Alt-E** o bien, hacer clic en el botón ≡. A continuación, hacemos clic en **Configuración**.
- En el apartado **Al iniciar**, nos fijamos en la opción **Abrir una página específica o un conjunto de páginas** y hacemos clic en **Establecer páginas**.
- Escribiremos la dirección deseada, haremos clic en el botón **Utilizar páginas actuales** en el caso de encontrarnos ya en ella/s y, para guardar los cambios, haremos clic en **Aceptar** (véase la figura 4,10).

Podéis elegir una o varias páginas de inicio. Su configuración, como veis, es muy sencilla. ¡Seguimos!

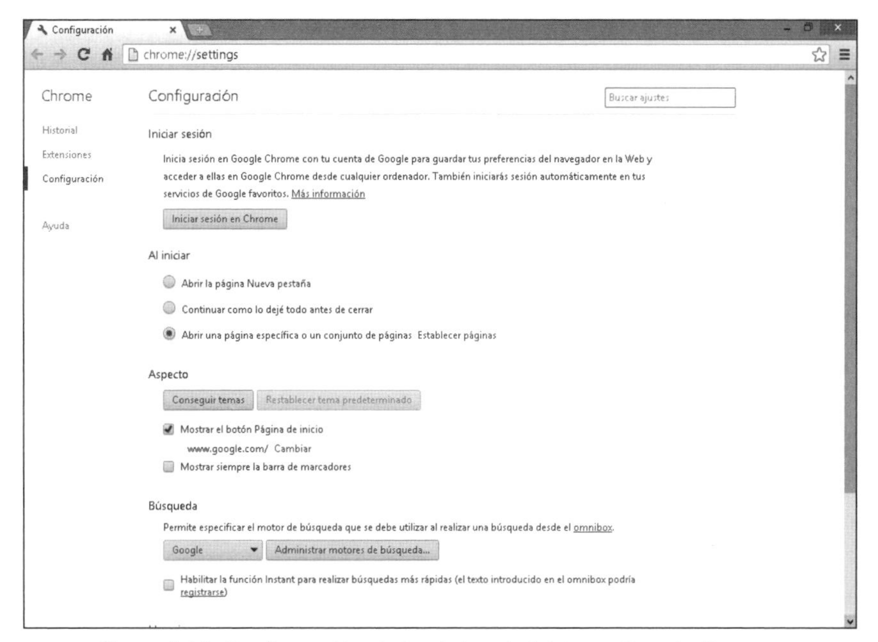

Figura 4.10. *Configuración de la página de inicio en Google Chrome.*

Favoritos e historial

A medida que vayáis navegando por Internet, os iréis dando cuenta de que visitáis ciertas páginas con bastante frecuencia y resulta pesado tener que escribir una y otra vez la misma dirección Web. Es aquí donde entran en escena los favoritos o marcadores, unas listas que almacenan aquellas páginas Web seleccionadas por nosotros para que podamos acceder a ellas con un simple clic.

Existen varios métodos para guardar una Web en favoritos, pero os enseñaremos el más rápido y sencillo. Tan sólo pulsando la combinación de teclas **Control-D** en cualquier navegador, la página que estemos visitando en ese instante pasará a formar parte de nuestra biblioteca de **Favoritos**. ¡Tenéis que hacer clic en el botón **Aceptar** para añadirla!

Ahora que ya sabemos agregar una página Web a favoritos, esto no sirve de nada si después no sabemos consultar nuestra lista. Para hacerlo, tenemos que tener en cuenta qué navegador estamos usando:

- Si usamos Internet Explorer, utilizaremos las teclas **Control-I**.
- Para Mozilla Firefox, pulsaremos **Control-B**.
- Por último, en Google Chrome, utilizaremos la combinación de teclas **Control-Mayús-B**. En este caso, se mostrará la barra de marcadores justo debajo de la barra de direcciones.

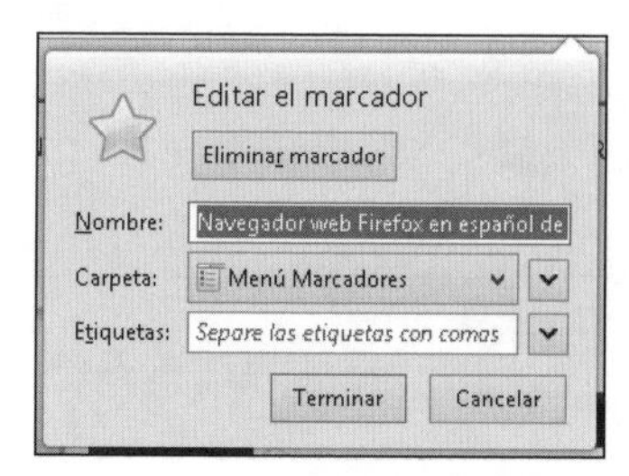

Figura 4.11. *Agregar una página a marcadores en Firefox.*

Cada vez que navegamos por Internet, dejamos constancia de ello. ¿Qué quiere decir esto? Dentro del propio navegador quedan reflejadas en una lista todas las páginas Web que hemos visitado, junto a la fecha y hora de la visita. A esta lista de visitas se le denomina historial. Para acceder a él, simplemente debemos pulsar las teclas **Control-H**. Puede llegar a ser muy útil, por ello, desde aquí, os vamos a dar un par de ideas para sacarle partido al historial de nuestro navegador.

- Imaginemos que navegando por la red, vemos un artículo a buen precio que nos interesa, pero no decidimos comprarlo. Pasados unos días, no recordamos el nombre de la Web, pero sí cuando la visitamos; utilizando el historial encontraremos la Web donde vimos el artículo en cuestión.
- Por otro lado, el historial puede servirnos para saber qué tipo de páginas Web visitan, por ejemplo, nuestros hijos. De esta manera, controlaremos el tipo de contenidos que visualizan en Internet, evitando así contenidos inadecuados.

Google y sus servicios

El buscador Google es conocido por todos. Lleva funcionando desde septiembre de 1998 y actualmente es el buscador más utilizado en el mundo.

Podéis acceder a Google desde la dirección `www.google.es`. Una vez introducidas las palabras claves, Google mostrará los resultados inmediatamente.

Existen otros buscadores populares, entre los que destacan:

- Yahoo: `http://es.search.yahoo.com/`.
- Bing: `www.bing.com/`.

Os preguntaréis, ¿qué es un buscador? También llamado motor de búsqueda, es un sistema que nos permite encontrar páginas Web introduciendo una serie de palabras claves.

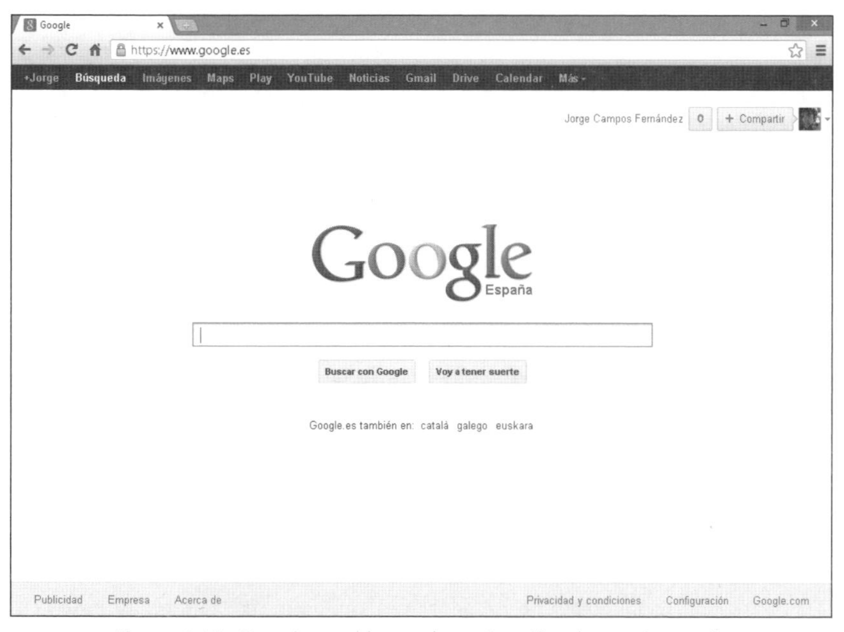

Figura 4.12. *Google es el buscador más utilizado en el mundo.*

Google, además de ser un buscador, posee una gran cantidad de servicios, los cuales pueden ser de gran utilidad. Echémosle un vistazo a las aplicaciones que nos pueden resultar más útiles:

- **Google Imágenes:** Utilizando como base el buscador principal de Google, adapta multitud de filtros para encontrar millones de imágenes.
- **Google Grupos:** Sistema de foros clasificados que cuenta con multitud de temas los cuales sirven de ayuda a muchos usuarios de la red.
- **Gmail:** Servicio de correo electrónico gratuito con gran capacidad de almacenamiento. Actualmente cuenta con 10 GB de capacidad y es uno de los servicios más utilizados de Internet.
- **Google Vídeo - Youtube:** Buscador y servidor de vídeos. Desde 2006, Google es el propietario de Youtube y es posible acceder a todos los vídeos de ambas plataformas desde los dos sitios Web. Cuenta con millones de usuarios, que a su vez crean y comparten la mayoría de los vídeos que se encuentran en sus servidores.
- **Google Maps - Earth:** Servicio que permite viajar a cualquier parte del mundo sin salir de casa. Pueden realizarse exploraciones visualizando imágenes captadas vía satélite, pero también podemos ver imágenes "a pie de calle" como si uno mismo paseara en primera persona. Google Earth ofrece el mismo servicio, pero en este caso es una aplicación que se instala en nuestro equipo, de manera que no es necesaria una conexión a Internet para realizar los viajes (véase la figura 4.13).
- **Google Calendar:** Es una especie de agenda virtual, permitiendo tener varios calendarios personalizados con distintos eventos o citas. Éstos se almacenan en nuestra cuenta de correo electrónico para que así sea accesible desde cualquier sitio con conexión a Internet.
- **Google Docs:** Crear y editar prácticamente cualquier documento, eso es lo que permite este servicio. Además de crear documentos con multitud de formatos, éstos pueden ser compartidos y editados simultáneamente por varias personas. ¡Una herramienta muy útil para trabajar en equipo!

Figura 4.13. *¡Viajad a cualquier parte del mundo sin levantaros de la silla!*

- **Google Traductor:** Traductor *on-line* que cuenta con más de treinta idiomas para realizar traducciones entre ellos. Algunos funcionan mejor que otros, pero es muy útil para solventar dudas sobre algunas palabras o expresiones. Ciertos idiomas como el inglés, francés, alemán o español cuentan con síntesis de voz, es decir, permite la lectura de lo que escribimos para aclarar la pronunciación (véase la figura 4.14).
- **Picasa:** Con esta aplicación podréis visualizar, organizar y editar fotografías, teniendo la opción de compartirlas con quien deseemos.
- **Google+:** La red social de Google cuenta con más de 300 millones de usuarios y está considerada la segunda red social más popular del mundo. Su funcionamiento es muy similar a la red social más famosa, Facebook.
- **Google Drive:** Nuestro disco duro virtual en Internet. Nos ofrece 5 GB de almacenamiento gratuito para guardar todo lo que necesitemos y siempre estarán disponibles desde cualquier equipo con conexión a Internet.

¡Gracias a Google podemos hacer infinidad de cosas en la red!

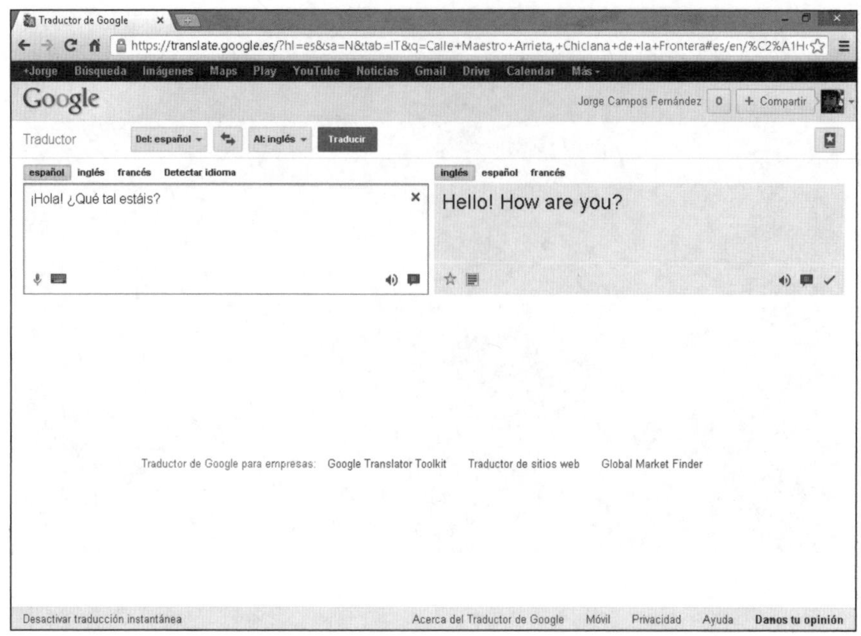

Figura 4.14. *Gracias al traductor de Google, podemos conocer palabras o expresiones en otros idiomas.*

Correo electrónico

El correo electrónico, también conocido como *email*, es uno de los servicios más utilizados mediante el cual podemos enviar/recibir mensajes y archivos a través de Internet.

Este sistema se comenzó a utilizar en 1965 y, un año más tarde, ya se había extendido rápidamente y se utilizaba en las redes de ordenadores de la época. El sistema tiene un funcionamiento muy similar al servicio de correos que todos conocemos, por lo que haremos un resumen del proceso para que veáis sus similitudes y diferencias.

Nuestra dirección de correo electrónico es como la dirección de nuestra casa, donde recibiremos todos los mensajes enviados por nuestros amigos o familiares.

- Escribimos un correo electrónico en nuestro dispositivo, ya sea un ordenador, teléfono móvil o tableta, de la misma manera que escribiríamos una carta.
- Indicamos el destinatario de nuestro correo electrónico. A diferencia del correo ordinario, podemos especificar tantos destinatarios como queramos.
- Una vez tengamos los dos pasos anteriores, procedemos a enviar el correo electrónico. Es algo así como dejarlo en el buzón más cercano. Nuestro correo irá a un servidor en el que se almacenan todos los correos electrónicos, como si fuera la central de Correos.
- Finalmente, el destinatario o destinatarios recibirán el correo que le hemos enviado.

Podemos encontrar multitud de ventajas respecto al correo tradicional, por ejemplo:

- **Rapidez:** Un correo electrónico llega instantáneamente a su destinatario, mientras que el correo tradicional puede tardar varios días dependiendo de la ubicación geográfica.
- **Económico:** ¡No tendremos que gastarnos nuestro dinero en sobres y sellos! Es totalmente gratuito, siempre y cuando tengamos acceso a Internet.
- **Comodidad:** No necesitamos llevar la carta a un buzón, podemos realizar todo el proceso sentados desde casa.
- **Fácil gestión:** Tenemos la posibilidad de guardar, imprimir o incluso enviar a nuestros conocidos los correos electrónicos que deseemos, ahorrando así papel y espacio físico.

Para poder enviar correos electrónicos es necesario disponer de una dirección de correo electrónico. Estas direcciones identifican a una persona por lo que no puede existir dos direcciones iguales. Un ejemplo de dirección de correo es `persona@dominio.com`.

La primera parte (`persona`) corresponde al nombre de usuario, el cual podéis elegir, siempre y cuando no lo esté utilizando otra persona.

El símbolo @ significa "pertenece a" y delimita la identificación del usuario del correo electrónico.

Por último, la tercera parte (`dominio.com`) hace referencia al servidor de correo al que pertenece.

Para poder gestionar nuestro correo podemos hacerlo de dos formas. La primera es a través de una página Web, en la que simplemente nos creamos una cuenta y desde allí, sin necesidad de configuración previa, podemos enviar y recibir correos electrónicos. Los dos servicios más utilizados son Outlook (anteriormente conocido como Hotmail) y Gmail. La segunda forma es a través de un programa, el cual tendremos instalado en nuestro ordenador. En el capítulo 5 hablamos sobre ello, ¡pasaos por allí!

De Hotmail a Outlook

Hotmail fue un servicio gratuito de correo electrónico basado en la Web de Microsoft. Fue uno de los primeros en aparecer y, aunque inicialmente no pertenecía a la empresa de Bill Gates, fue adquirido por éstos en el año 1997 y cambió su nombre por MSN Hotmail. Durante su funcionamiento, se encontró con otros servidores gratuitos (como Yahoo o Gmail), por lo que fue obligado a mejorar sus servicios de correo electrónico con el fin de evitar que sus usuarios se mudaran para utilizar los servicios de sus competidores.

Después de muchos años de competencia, Microsoft decidió poner fin al servicio de correo con el nombre de Hotmail y dar paso a una versión mejorada de éste, recibiendo el nombre de Outlook. Esto creó confusión entre los usuarios ya que no tenían claro cuál sería el cambio, pensando que perderían su cuenta y sus correos electrónicos. Se puede decir que, tras el cambio, sigue funcionando de la misma manera, a excepción de su interfaz, la cual es ahora mucho más limpia e intuitiva, y de su nombre (véase la figura 4.15).

Entre sus nuevas características cabe destacar su apariencia similar al sistema operativo Windows 8, la integración de las redes sociales más importantes como Facebook, Twitter o LinkedIn, la integración de chat para hablar con los usuarios de Skype y Facebook y la posibilidad de utilizar Microsoft Office desde la bandeja de entrada (SkyDrive). De este último servicio hablaremos en el capítulo 5.

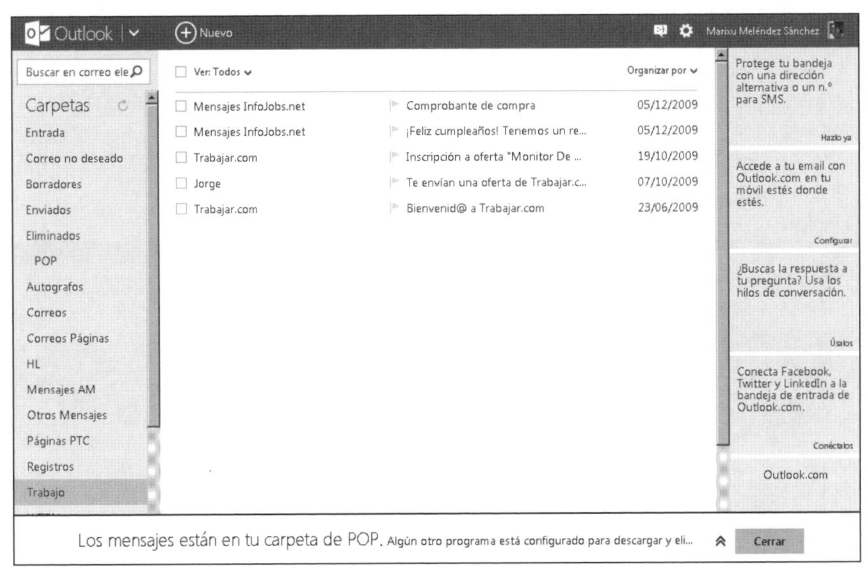

Figura 4.15. *Nueva interfaz de Hotmail, ahora llamada Outlook.*

¿No tenéis una cuenta en Outlook? Podéis acceder a esta página Web `http://tecnologia.es.msn.com/crear-cuenta-outlook`, donde explica paso a paso cómo haceros con vuestra primera cuenta de correo del antiguo Hotmail.

GMAIL

Gmail, al igual que Outlook, es un servicio de correo gratuito, pero éste pertenece a la empresa Google. A continuación, vamos a crear juntos una cuenta de Gmail para que veáis lo fácil que resulta gestionar vuestros correos electrónicos desde la Web. ¡Vamos a ello!

1. Iremos a la página **`http://mail.google.com/?hl=es`** y en la parte superior derecha hacemos clic en el botón rojo **Crear una cuenta**.
2. En esta pantalla nos encontraremos con un formulario que debemos rellenar con nuestros datos personales.

Entre los diferentes campos para rellenar nos encontramos con:

- **Nombre (nombre y apellidos):** Debemos añadir nuestro nombre y apellidos.

Figura 4.16. *Para crear nuestra cuenta de correo Gmail, primero debemos rellenar el formulario con nuestros datos personales.*

- **Nombre de usuario:** En este campo pondremos el nombre de usuario que queremos para la dirección de correo. Podemos utilizar tanto letras como números y puntos. Este nombre irá seguido del nombre del servidor que proporciona el correo; en este caso es `@gmail.com`. ¿Qué ocurre en el caso de que el nombre seleccionado ya exista? Gmail nos avisará automáticamente de que debemos elegir otro nombre de usuario.
- **Contraseña:** Una vez elegido nuestro nombre de usuario, debemos elegir una contraseña para proteger la cuenta. Ésta debe tener un mínimo de ocho caracteres, incluyendo números, mayúsculas y signos.

  Es importante que la contraseña elegida sea fácil de recordar para vosotros pero no para los demás. ¡Elegid una que sea difícil!
- **Confirma tu contraseña:** Debemos confirmar la contraseña, es decir, tenemos que volver a escribirla.

- **Fecha de nacimiento:** Fecha en la que nacimos.
- **Sexo:** Seleccionaremos nuestro género, hombre o mujer.
- **Teléfono móvil (campo no obligatorio):** Este campo nos permitirá garantizar la seguridad de la cuenta. Por ejemplo, pueden enviarnos un mensaje de texto permitiéndonos acceder a nuestra cuenta en el caso que olvidemos la contraseña.

- **Tu dirección de correo electrónico actual (campo no obligatorio):** Si ya disponéis de una cuenta de correo electrónico, podéis introducirlo en este campo. Nos ayudará a recuperar nuestros datos olvidados, como por ejemplo la contraseña.
- **Demuéstranos que no eres un robot:** Por cuestiones de seguridad, debemos escribir los caracteres que aparecen en la imagen. Esto sirve para evitar los registros automáticos.
- **Ubicación:** Seleccionaremos el país en el que vivimos.

Para terminar nuestro registro, debemos aceptar las **Condiciones del servicio y la Política de privacidad**, por lo que activaremos dicha casilla. También tenemos la posibilidad de utilizar la información de la cuenta para personalizar el contenido de sitios Web que no pertenezcan a Google. Para continuar, hacemos clic en **Siguiente paso**. En la siguiente pantalla, tendremos la opción de añadir una foto de perfil para que nuestros familiares y amigos nos identifiquen. Para ello, hacemos clic en **Añadir foto de perfil** y seleccionaremos una de nuestro ordenador. En el caso de no querer añadir ninguna, haremos clic en **Siguiente paso**.

¡Ya tenemos creada nuestra cuenta!

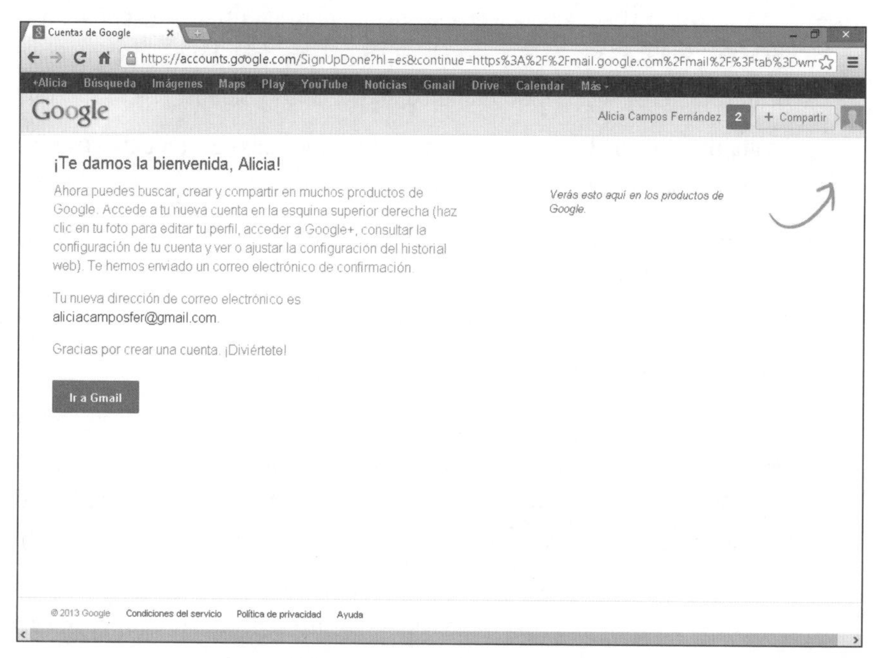

Figura 4.18. *Mensaje de bienvenida de Gmail tras crear la cuenta de correo electrónico.*

Si observamos la parte superior derecha, al lado de nuestro nombre completo (véase la figura 4.18), podemos ver un aviso de notificaciones (en este caso hay dos). Cuando creamos una cuenta de correo en Gmail, ésta se conecta automáticamente a la red social de Google llamada Google+. Las notificaciones en el cuadro rojo pertenecen a dicha red social.

Figura 4.19. *En esta imagen, podemos ver dos notificaciones sin leer.*

En nuestra bandeja de entrada, nos esperan varios correos electrónicos de bienvenida. Los mensajes recibidos sin leer aparecerán en negrita hasta que éstos sean leídos. Para acceder a nuestro correo cada vez que lo deseemos, lo podemos hacer desde la Web nombrada anteriormente, pero, como somos buenas personas, os la recordamos de nuevo: `http://mail.google.com/?hl=es`

Para no estar escribiendo la contraseña cada vez que entremos, podemos seleccionar en nuestro navegador la opción **Recordar contraseña**, pero, tened cuidado, ¡no lo hagáis en ordenadores que no os pertenezcan o en ordenadores públicos!

Si nuestra página de inicio es Google, para entrar a nuestro correo sólo tendremos que hacer clic en Gmail, *situado en el menú principal de Google.*

Los dispositivos Android traen incorporados de serie la aplicación de Gmail para que podamos gestionar nuestro correo electrónico desde cualquier lugar y en cualquier momento.

Gestión de correos en Gmail

Además de gestionar nuestra cuenta de correo, Gmail ofrece otros servicios, como crear nuestra propia agenda de contactos o controlar tareas pendientes a través de la función **Tareas** (véase la figura 4.19).

¡Veamos qué cosas podemos hacer con nuestra nueva cuenta de correo en Gmail!

Una vez que estemos en la página principal, haremos clic en **Redactar** para enviar un correo electrónico. La nueva actualización del sistema nos permite escribir nuestro correo sin ir a ningún lado, es decir, se abrirá un cuadro en la esquina inferior izquierda donde podremos escribir nuestro mensaje. Veamos cuáles son los diferentes campos y opciones que podemos encontrar:

Figura 4.20. *Gmail ofrece otros servicios, además de la gestión de correo.*

- **Para:** Aquí debemos escribir la dirección de correo electrónico de la persona a la que va destinada el mensaje. Podemos añadir uno o varios destinatarios.
- **Asunto:** Es como un título que le damos al contenido de nuestro mensaje. Debe ser lo más conciso posible.
- **Opciones de formato** (A): Negrita, color, cursiva, etc. Podemos decorar nuestro mensaje para que éste quede bonito y presentable. ¡Tampoco abuséis!
- **Adjuntar archivos** (📎): Al situar el ratón encima, se desplegarán más iconos entre los que podemos encontrar **Insertar fotos**, **Insertar enlace** o **Insertar emoticonos**, entre otros. Gracias a esta función, podemos enviar todo tipo de archivos a nuestros destinatarios.

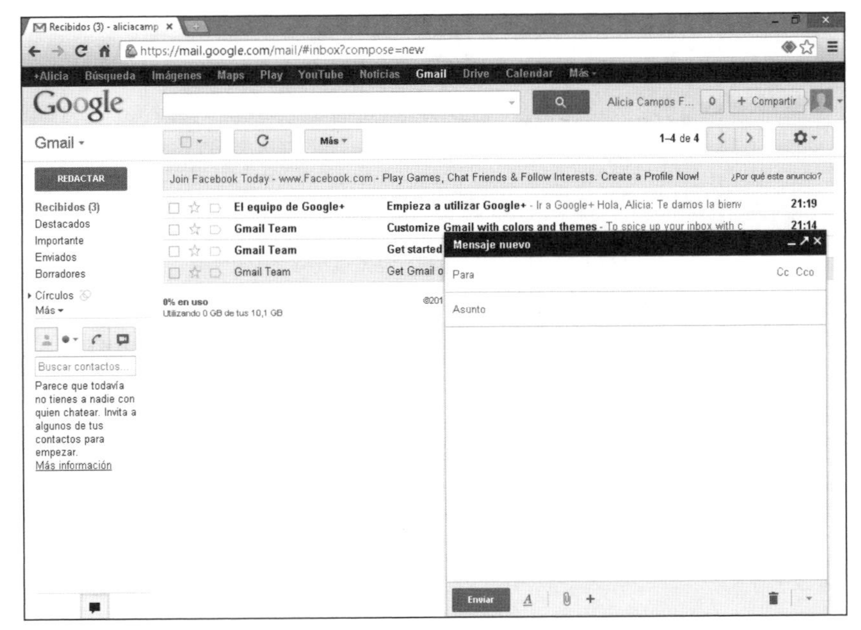

Figura 4.21. *Ventana para escribir un correo electrónico desde Gmail.*

- **Descartar borrador** (🗑): ¿Ya no deseamos enviar el mensaje? Podemos descartarlo haciendo clic en este icono representado por una papelera.

Las opciones Cc *y* Cco *sirven para enviar una copia del mensaje a otro/s destinatarios. En el caso de* Cc*, se hace de manera pública, todo el mundo lo puede saber, y con* Cco *se realiza de forma oculta.*

Una vez escrito el mensaje, sólo tendremos que darle a **Enviar** y... ¡tachán! Los destinatarios lo recibirán de inmediato.

Como hemos dicho anteriormente, los mensajes no leídos se mostrarán en negrita. Para leerlos, sólo tenemos que hacer clic encima de él y éste se abrirá. Pero ¿y si no nos interesa dicho mensaje y lo queremos eliminar? ¡Esto es muy sencillo! Cuando abramos un mensaje, sólo debemos hacer clic en **Eliminar** (véase la figura 4.22) y ¡adiós!

Figura 4.22. *Para borrar un mensaje, basta con hacer clic sobre el icono de la papelera.*

Otras dos opciones, entre otras muchas, que podemos realizar con nuestros mensajes de correo son responder a un mensaje directamente o reenviarlo a otras personas. Para responder o reenviar un correo, una vez dentro de dicho mensaje, justo debajo de éste podemos ver un cuadro como el mostrado en la figura 4.23.

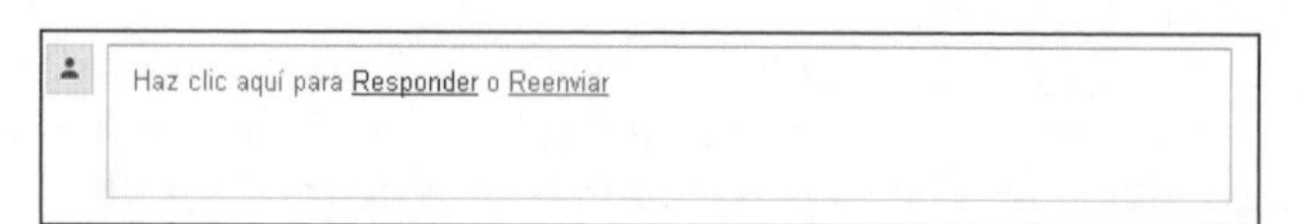

Figura 4.23. *Desde el propio mensaje podemos responder o reenviar dicho correo a nuestros amigos y familiares*

- Si hacemos clic en **Responder**, podremos responder directamente al correo anterior.
- Si hacemos clic en **Reenviar**, podremos enviar dicho mensaje a otros usuarios. Para ello, debemos escribir las direcciones de los destinatarios.

¡Y **Enviar**!

LOS MEJORES PROGRAMAS PARA DESCARGAR

Las descargas de vídeos, imágenes, música, programas, etc., son uno de los principales motivos por los que contratamos Internet. Podemos encontrar gran cantidad de contenido multimedia en la red de manera gratuita, pero ¡hay que tener cuidado! Muchas de esas descargas pueden no ser legales. Podemos encontrar muchas páginas Web que proporcionan descargas de forma legal, respetando los derechos de autor de todos sus contenidos. Existen muchos sistemas de descarga de archivos de Internet, pero actualmente lo más utilizado es el sistema denominado P2P (*peer to peer*), junto a las descargas directas.

El sistema P2P, punto a punto, necesita de un programa para gestionar y realizar las descargas. Mientras se descargan estos archivos, estamos compartiéndolos al mismo tiempo con el resto de usuarios que descargan ese mismo archivo. Existen dos redes que utilizan el protocolo P2P, la primera es la red eDonkey, la cual está en desuso, y la segunda es Torrent, que es utilizada por millones de usuarios en todo el mundo.

Por otro lado, tenemos las descargas directas. Reciben este nombre porque, para descargar los archivos, tan sólo tenemos que hacer clic en un enlace dentro de una página Web y el archivo en cuestión comenzará a descargar al instante desde el propio navegador Web, aunque también cabe la posibilidad de utilizar un gestor de descarga aparte.

Como ambos son los más utilizados en la actualidad, os vamos a recomendar tres aplicaciones o programas de cada uno de ellos, además, os enseñaremos cómo instalar uno de los programas Torrent más utilizados en la actualidad, el Microtorrent. ¿Empezamos? Comencemos hablando de Torrent, donde podremos descargar con programas como:

- qBittorrent: `www.qbittorrent.org`.
- BitLord: `www.bitlord.com`.
- Microtorrent: `www.utorrent.com/intl/es`.

Tanto la página del gestor qBittorrent como la de BitLord están en inglés. La primera, simplemente haciendo clic en Download, podremos descargar fácil y gratuitamente el programa. Para descargar BitLord, veremos el botón Get BitLord directamente en la página principal.

Vamos a seguir el proceso de instalación del programa Microtorrent, por lo tanto, lo primero que debemos hacer es descargarlo en la página Web que os hemos proporcionado anteriormente. ¡Pasemos a la instalación!

1. Lo primero que tendremos que elegir será el idioma en el que deseamos que esté nuestro programa. Lo normal es que esté en español, pero, quién sabe, quizás os guste tenerlo en otro idioma totalmente diferente. ¡Cuestión de gustos!

2. A continuación, aparecerá un asistente de configuración donde, después de hacer clic en el primer **Siguiente**, el programa nos avisará de posibles estafas en la red respecto al programa en sí. ¡Es importante leerlo!

Recordad que siempre debéis descargar los programas de sus páginas oficiales, ya que otras páginas Web puede simular tener el programa, pero en realidad son timos o simplemente van acompañados de virus.

3. Continuamos con el proceso de instalación, teniendo cuidado de no instalar programas adicionales que no necesitemos (seleccione para ello la opción Instalación Personalizada).

Una vez instalado y abierto el programa, podemos configurar las preferencias. Para ello haremos clic en Opciones>Preferencias o pulsaremos **Control-P**. Una vez que lo tengamos listo, sólo queda buscar en Internet páginas Web que ofrezcan el archivo `.torrent` para comenzar a descargar. Los archivos descargados se guardarán en la carpeta que hayamos seleccionado previamente en las preferencias.

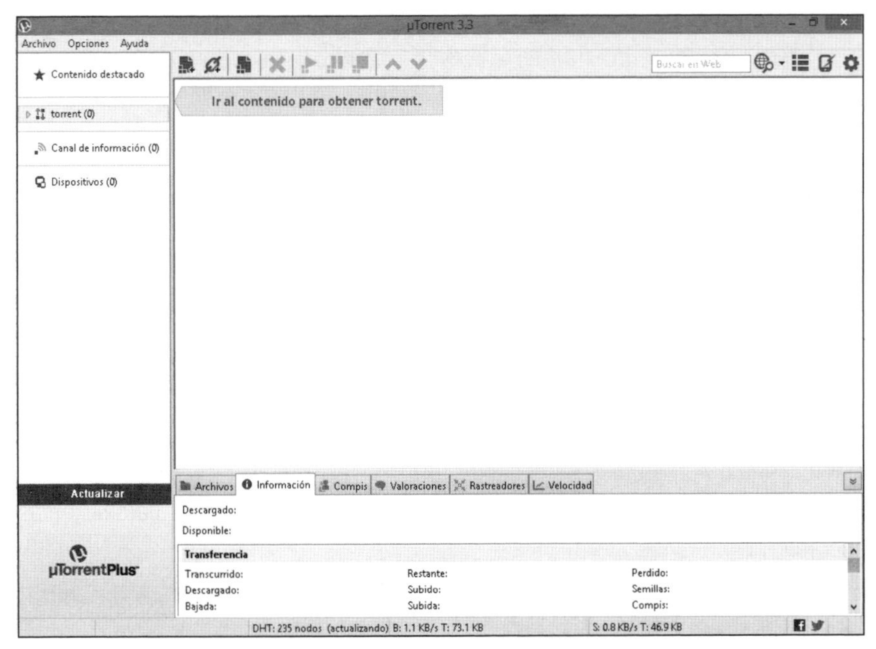

Figura 4.24. *Ventana principal de Microtorrent.*

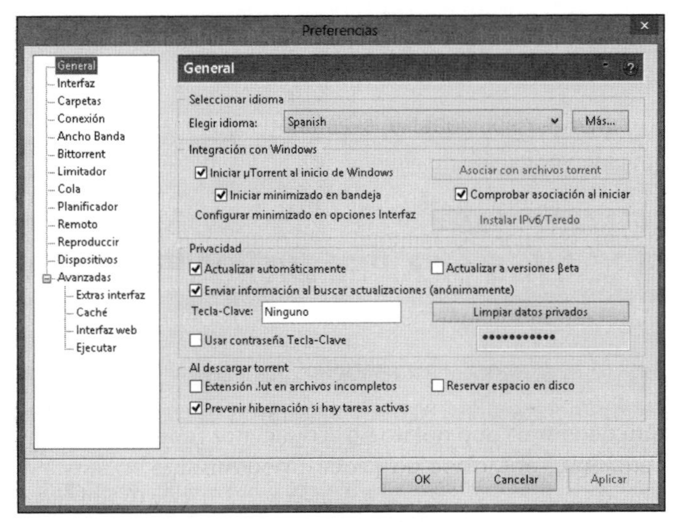

Figura 4.25. *Preferencias del programa Microtorrent.*

Cuando localizamos una Web con archivos Torrent, si, en vez de guardar, abrimos directamente dichos archivos, éstos detectarán automáticamente el programa y se añadirán directamente en él.

¡Pasemos a las descargas directas!

Algunos de los servidores de alojamiento más conocidos son Mega (https://mega.co.nz) o Rapidshare (https://rapidshare.com), aunque existen muchos más, como por ejemplo Putlocker (www.putlocker.com), Uploaded (http://uploaded.net) o Mediafire (http://www.mediafire.com), entre otros.

Cabe destacar la Web www.softonic.com, una empresa que cuenta con más de 100.000 programas, poniéndolos totalmente a nuestra disposición. Podemos encontrar programas de cualquier clase, para todo tipo de tareas y para sistemas operativos como Windows o Linux.

Entre los gestores de descargas directas más conocidos y fáciles de utilizar podemos encontrar:

- JDownloader: http://jdownloader.org.
- Mipony: www.mipony.net/es.
- Tucan: www.tucaneando.com.

Tus archivos siempre disponibles: la nube

¡Tranquilos, no viajaremos hasta el cielo! El concepto "nube" ha dado mucho que hablar en los últimos años y es que se ha convertido en la tecnología del futuro. ¿Qué entendemos por nube? Es un término que procede del inglés *cloud computing* y se llama así al procesamiento masivo de datos y almacenamiento en grupos de servidores conectados a Internet.

Para que lo entendáis mejor, la nube son servidores en Internet encargados de atender a las peticiones de los usuarios en cualquier momento, sin importar la ubicación ni el dispositivo que se utilice (ordenador, *smartphone*, tableta...). Además, la nube es transparente para los usuarios y no es necesario ningún conocimiento técnico para utilizarla. ¿Sabéis que utilizáis la nube a diario cada vez que realizáis ciertas tareas en Internet? ¡Quizás ni lo sabíais! Un ejemplo claro de servicios en la nube es el correo electrónico, ya que éstos, los archivos adjuntos, los contactos, etc., se encuentran alojados en un grupo de servidores en Internet y su uso es posible en cualquier momento y lugar.

Existen numerosas ventajas que nos ofrece este servicio, aunque también existen algunos inconvenientes. ¡Veamos cuáles son!

Ventajas

- Acceso desde cualquier dispositivo y lugar.
- Su uso es muy sencillo, por lo que no hay que ser un experto para adaptarse a este servicio.
- Existen multitud de aplicaciones que nos ofrecen el servicio de manera totalmente gratuita.
- Los archivos se encuentran totalmente ajenos a nuestro disco duro, quedando como una copia de respaldo en el caso que nuestro PC sufra algún percance.

Inconvenientes

- Es necesaria una conexión a Internet para poder disfrutar de este servicio.
- Falta de seguridad y privacidad, es decir, los ficheros pasan a estar alojados fuera de nuestro PC, por lo que dejamos de tener el control sobre ellos.
- Escalabilidad a largo plazo. A medida que más usuarios utilizan la nube, la carga de servidores aumentará y disminuirá el rendimiento de éstos.

- Espacio limitado. Normalmente disponemos de 2 a 5 GB de almacenamiento de forma gratuita.

Existen varios programas o aplicaciones que nos ofrecen la oportunidad de alojar nuestros archivos de manera totalmente gratuita en la nube. Entre los más conocidos podemos encontrarnos con Dropbox y Box.

Dropbox

Dropbox es un programa que permite a los usuarios almacenar, sincronizar y compartir archivos en línea. Cuenta con más de 100 millones de usuarios y está disponible para los sistemas operativos Android, Blackberry e iOS.

Figura 4.26. *Logo de Dropbox.*

¿Cómo funciona Dropbox? Aunque haremos un paso a paso de su instalación para que comprendáis su funcionamiento, os haremos un breve resumen para que tengáis una ligera idea.

Esta aplicación creará en nuestro equipo una carpeta que sincronizará automáticamente todo su contenido con el servidor de Dropbox; de esta manera, podemos compartir el contenido de nuestra carpeta con cualquier usuario de Dropbox, previamente con nuestra autorización. Los permisos sobre esa carpeta se conceden mediante una cuenta de correo electrónico. Para acceder a su contenido, podremos introducir nuestros datos en la página Web de Dropbox o bien acceder desde la propia aplicación.

Para descargar el programa, podéis acceder a la página `www.dropbox.com`. Una vez descargado, procederemos a su instalación:

1. La primera vez que iniciéis el programa, os dará la bienvenida al proceso de instalación, por lo que haremos clic en el botón **Instalar**.

2. Una vez instalado, pasaremos a la configuración. En nuestro caso, seleccionaremos **No tengo cuenta de Dropbox** para así seguir el procedimiento completo de configuración.
3. Como podéis ver en la figura 4.27, debemos rellenar el formulario con nuestros datos y, una vez hecho, aceptamos las condiciones del servicio y hacemos clic en **Siguiente**.
4. En el siguiente paso, seleccionaremos la opción gratuita que nos ofrecen, que en este caso son 2 GB de almacenamiento. Hacemos clic en **Siguiente**.
5. Para finalizar, seleccionaremos el tipo de configuración. Elegiremos la configuración **Típica** y para continuar, haremos clic en **Instalar**.

Figura 4.27. *Cuadro de diálogo para crear una cuenta en Dropbox.*

A continuación, sin haber terminado el proceso de configuración, Dropbox nos ofrecerá la posibilidad de instalar su aplicación en dispositivos móviles, quedando a la elección de cada uno de vosotros. Al hacer clic en el botón **Siguiente**, Dropbox pone a vuestro alcance una visita guiada de 4 pasos para que entendáis a la perfección el funcionamiento de éste. ¡Es totalmente recomendable que lo veáis! Aun así, hagamos un repaso de ellos:

- Vuestro Dropbox será una carpeta especial en vuestro ordenador. Sólo con arrastrar archivos hasta él, éstos estarán disponibles instantáneamente en otros ordenadores y en Internet.
- Para acceder a vuestros archivos desde el PC de otra persona, simplemente tendréis que visitar la página Web `www.dropbox.com`. Podréis ver, descargar y subir archivos de manera segura desde cualquier navegador Web.
- Tras la instalación de Dropbox, este nuevo icono ( ) se mostrará en el área de notificaciones, justo al lado de la hora. Haciendo un solo clic en él, podremos acceder al sitio Web haciendo clic en **Dropbox.com** o acceder a nuestra carpeta haciendo clic en **Carpeta Dropbox**.
- Podéis compartir cualquier carpeta con vuestros amigos o compañeros, aunque utilicen sistemas operativos diferentes (véase la figura 4.28).

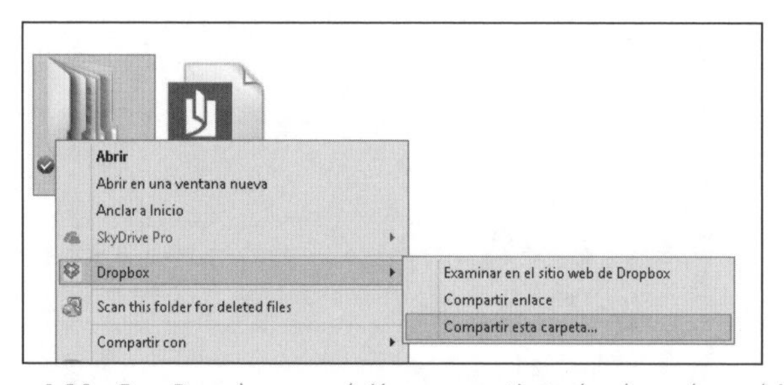

Figura 4.28. *Con Dropbox, podréis compartir toda clase de archivos.*

Para poder compartir archivos en Dropbox, debemos verificar nuestra dirección de correo a través del mensaje que envían a nuestro correo electrónico y, a continuación, iniciar sesión. En el caso de no haber recibido dicho correo, una vez que hayamos hecho clic en Compartir carpeta, *recibiremos un aviso de verificación. Haremos clic en* Enviar mensaje *para que nos lo envíen de nuevo.*

Dropbox nos ofrece la posibilidad de obtener una bonificación de 250 MB si completamos una serie de pasos, como por ejemplo invitar a nuestros amigos a unirse a Dropbox o instalar la aplicación en dispositivos móviles.

¿Habéis celebrado una fiesta y queréis compartir vuestras fotografías con el resto de los invitados? ¡Compártelas a través de Dropbox! Ahora ya estáis listos para compartir vuestros archivos en la nube.

Box

Otra forma para compartir archivos de forma sencilla y segura desde cualquier lugar es a través de Box. Gracias a este sistema, podemos almacenar nuestros archivos *on-line* y luego acceder a ellos en cualquier momento y con cualquier dispositivo. Aunque no cuenta con una versión instalable para PC, como por ejemplo Dropbox, podremos instalar la aplicación correspondiente en dispositivos que utilicen el sistema operativo Windows 8, Android e iOS. ¡Tranquilos! Eso no significa que, si no tenéis algún dispositivo con estas características, luego no podréis tener acceso a vuestra nube en Box. Simplemente, con entrar en su página Web, de ahí lo de "almacenamiento *on-line*", ¡podréis comenzar a trabajar sin ningún problema!

Para poder disfrutar de este servicio, lo primero que debemos es acceder a la dirección www.box.com y, a continuación, registrarnos. Pero ¿cómo lo hacemos? ¡Seguid los pasos!

1. En la esquina superior derecha, hacemos clic en **Registrarse** y, en este caso, utilizaremos la versión gratuita con la que podemos disponer de 5 GB de almacenamiento gratis. Por lo tanto, hacemos clic en **Registrarse ahora**.

2. Seleccionamos el plan Personal de Box y, luego, rellenaremos el formulario con nuestros datos. Aceptamos las condiciones de servicio y hacemos clic en **Aceptar**.

3. A continuación, nos aparecerá una confirmación de nuestra cuenta que debemos hacerla a través de nuestro correo electrónico, tal como se ilustra en la figura 4.29.

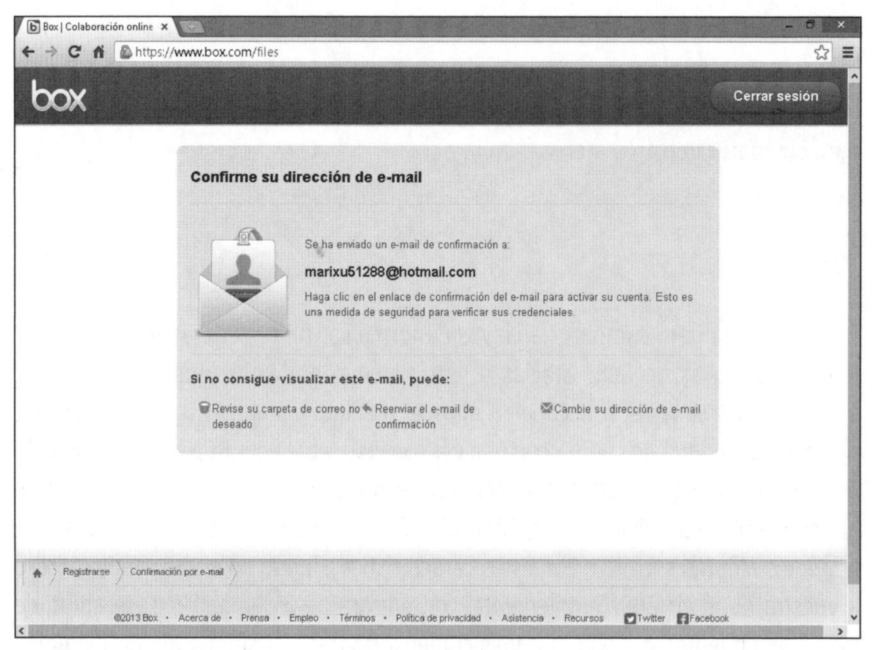

Figura 4.29. *Para completar el registro en Box, debemos confirmar nuestra dirección de correo electrónico.*

Como también podemos ver en la figura 4.28, en el caso de no recibir dicho correo electrónico de confirmación, revisaremos nuestra carpeta de correo no deseado o reenviaremos el correo.

4. Una vez hayamos verificado nuestra cuenta e iniciemos sesión, ¡ya formamos parte de este servicio!

Box cuenta con un entorno bastante intuitivo, por lo que es bastante accesible para todos. Para poder compartir nuestros archivos, tan sólo debemos arrastrarlos hasta el apartado **Archivos**, simbolizado con el icono en el menú principal, situado en la parte superior izquierda.

Figura 4.30. *Con sólo arrastrar los archivos hasta Box, podréis disfrutar de ellos siempre que queráis.*

Una vez subidos los archivos deseados, podemos realizar múltiples acciones con ellos, desde compartirlos y ver una vista previa hasta moverlos o copiarlos en otra carpeta, entre otros. ¡Podréis tener todo ordenado, como si de vuestro ordenador se tratase! (véase la figura 4.31).

Siempre que accedáis a vuestra cuenta de Box, sin importar el lugar, tendréis a vuestra disposición todos esos archivos que hayáis guardado en la nube. ¡Adiós a los *pendrives*!

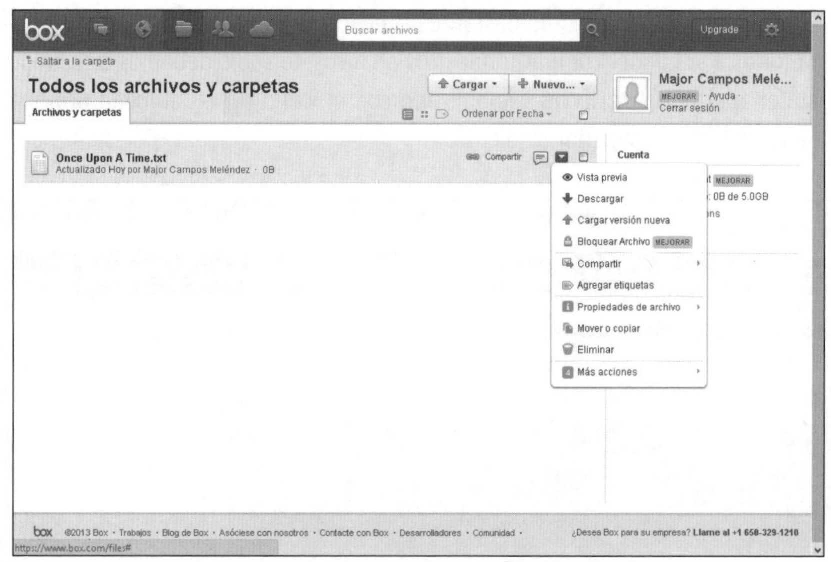

Figura 4.31. *Podemos realizar diferentes acciones con los distintos archivos alojados en Box.*

Buscar empleo en la red

Con los tiempos que corren, hoy en día se puede decir que quien tiene un trabajo, tiene un tesoro. Desafortunadamente, hay una gran cantidad de personas que buscan empleo, pero, gracias a Internet, esto se convierte en una tarea sencilla y rápida. Al igual que elaboramos un currículum vítae para entregar y optar a los diferentes puestos de trabajo, en la red podemos mostrarlo en un portal donde las propias empresas pueden verlo y contactar con nosotros en el caso de que estén interesados.

Por ejemplo, ¿cuántos currículum podéis entregar en un día? ¿Diez, quince? A través de Internet podéis entregar todos los que queráis y... ¡con un solo clic! También cabe añadir el ahorro de papel y de tiempo, ¡todo son ventajas! Además, muchas empresas prefieren recibir currículum en formato electrónico para una gestión mucho más rápida y eficaz.

Existen diferentes portales o, bueno, para que no os liéis, páginas Web, donde tendréis la oportunidad de ver cada día una infinidad de ofertas de empleo y podréis seleccionar las que creáis que son más adecuadas a vuestro perfil profesional. Aprovechando que ya tenéis una dirección de correo electrónico, os enseñaremos cómo registraros en una de las mayores bolsas de empleo en la red, Infojobs.

Para poder presentar vuestras candidaturas a los diferentes puestos de trabajo, lo primero que debéis hacer es daros de alta gratuitamente desde la página Web `www.infojobs.net`.

Figura 4.32. *Página de inicio de la bolsa de empleo Infojobs.*

En la parte derecha del menú principal, podemos distinguir dos accesos importantes: **Date de alta gratis** y **Acceso candidatos**. La primera es para aquellos usuarios que entren por primera vez y deseen formar parte de la bolsa de empleo y, una vez registrados, deberán acceder a través de la segunda opción.

Como todavía no estáis registrados, haremos clic en **Date de alta gratis** y, luego, rellenaremos el formulario con nuestros datos personales. Una vez rellenado y habiendo aceptado las condiciones, hacemos clic en **Crear mi cuenta**.

Al igual que en otros registros, para terminar el proceso, debemos verificar la dirección de correo electrónico que hayamos indicado anteriormente, la cual es enviada por un mensaje a través de nuestro correo electrónico.

¡Ya podemos acceder a nuestra cuenta en Infojobs!

Aunque ya hemos completado nuestro registro, antes de que podáis inscribiros en una oferta de empleo, debéis completar vuestro currículum virtual. ¡Recuerda que antes debéis iniciar sesión en **Acceso candidatos**!

Para acceder a vuestro sitio privado en la Web, debéis acceder al apartado Mi área, *situado en la parte derecha del menú principal.*

Una vez que tengamos completados todos nuestros datos y hayamos buscado las ofertas que más nos interesan, accederemos a las páginas específicas de éstas, donde podremos inscribirnos haciendo clic en el botón **Quiero inscribirme en la oferta** (normalmente situado en la parte de abajo).

A continuación, hacemos clic en **Inscríbete** (según preferencias, **Inscripción Gratuita** o **Premium**). Por último, en esta ventana podremos introducir nuestra carta de presentación y, en algunas candidaturas, las empresas piden algunos datos adicionales para conocer un poco más nuestro perfil. Para finalizar, haz clic en **Confirma tu inscripción**.

Es recomendable incluir una carta de presentación, de esta manera conseguiremos dar una imagen más completa sobre nosotros y aumentaremos las posibilidades de conseguir una entrevista de trabajo.

Recibiréis un correo en vuestra bandeja de entrada con dicha inscripción. Para seguir el proceso de candidatura de las diferentes inscripciones, simplemente debéis entrar en **Mi área** y luego hacer clic en **Mis candidaturas**. Podremos observar cómo las empresas en las que os habéis inscrito gestionan vuestras candidaturas (si ha sido recibida, si estáis en proceso, preseleccionados o descartados).

Existen numerosos portales, entre los que podemos destacar:

- **Trabajar:** `http://es.trabajar.com`.
- **Monster:** `www.monster.es`.
- **Infoempleo:** `www.infoempleo.com`.
- **Workea:** `www.workea.org`.

Ahora que ya conocéis algunas páginas Web para buscar empleo, ¡os dejamos con unos consejos!

- Registraos en varios portales de empleo, esto aumentará las posibilidades de encontrar un empleo adaptado a vuestro perfil.
- Mantened vuestros datos actualizados para así reflejar toda vuestra experiencia y conocimientos en el currículum.
- No mentir sobre ningún aspecto, esto puede causar muchísimos problemas a la hora de desempeñar un trabajo.

- Manteneos activos, es decir, visitad a menudo vuestras cuentas y realizad nuevas búsquedas de ofertas.

Como se dice por ahí: "Quien la sigue, la consigue". ¡Seguid vuestras candidaturas de cerca!

Juegos, radio y TV

¡Pasemos a divertirnos un poco! En Internet hay miles de juegos que nos permiten jugar en línea (a tiempo real) con otras personas que se encuentren en cualquier otra parte del mundo, o bien también podemos disfrutar en solitario.

Algunas de las páginas sobre juegos que nos podemos encontrar son:

- Minijuegos.com (`www.minijuegos.com/`): Encontraréis toda clase de juegos organizados en diferentes categorías (acción, estrategia, aventuras...) para jugar solo o con otros usuarios (véase la figura 4.32).
- Juegosjuegos.com (`www.juegosjuegos.com/`): Clasificado por diferentes temas, encontraréis juegos gratuitos para pasar un buen rato.
- Mundijuegos.com (`www.mundijuegos.com/`): Parchís, dominó, bingo... ¡todos los juegos de siempre, ahora en línea!
- Trivial online (`www.trivialonline.es/`): Desde esta página podréis jugar al famoso juego de los quesitos de colores, Trivial.

Además de jugar, podemos aprovechar nuestra conexión a Internet para ver la televisión y escuchar la radio mientras navegamos por la red.

Figura 4.33. *Podemos distinguir las diferentes categorías de todos los juegos que nos ofrece esta página Web.*

Podemos ver la televisión accediendo a las páginas oficiales de las cadenas de televisión, donde la mayoría de ellas contienen reproductores *on-line* de sus respectivos canales. Lo mismo ocurre con las diferentes emisoras de radio. En la figura 4.34 vemos un claro ejemplo de ello.

Para terminar, no olvidéis visitar Youtube, el mayor portal de vídeos, donde los usuarios crean, suben y comparten sus vídeos. Podéis acceder a él a través de esta dirección: `www.youtube.com`.

Pedal Torpe's

Figura 4.34. *Kiss FM es una de las emisoras más escuchadas en España.*

Aprende en Internet

Una buena manera de esperar una oportunidad laboral es aprovechar el tiempo aprendiendo cosas nuevas y aumentando nuestros conocimientos, ya sea en el campo en el que nos movemos o bien en otros que nos interesen. Algo muy importante y que nos pueden abrir muchas puertas frente al mercado laboral son los idiomas. Incluso existen cursos que, después de realizarlos, podemos obtener un título o diploma que acredite la realización de éstos.

Gracias a Internet, podemos encontrar multitud de páginas de formación en las que podremos realizar toda clase de cursos a distancia y/u *on-line*. Algunas páginas interesantes para aprender son las siguientes:

- **UNED** (`http://portal.uned.es`): La Universidad Nacional de Educación a Distancia es uno de los portales de formación más importantes que existen, aunque no sólo está basada en la formación *on-line*, sino que cuenta con numerosos recursos virtuales y audiovisuales para dar apoyo a distancia al alumnado. Al finalizar cada curso, los alumnos recibirán un diploma acreditativo. ¡Echadle un vistazo, es muy interesante!
- **Emagister** (`www.emagister.com`): Esta página nos permite elegir entre una extensa lista de cursos gratuitos o de pago. También ofrece tutoriales y manuales gratis de distintas temáticas.
- **AulaClic** (`www.aulaclic.es`): Encontraréis cursos y videotutoriales sobre el mundo de la informática, tanto programas como sistemas operativos, entre otros. ¡Complementad vuestros conocimientos adquiridos con este libro realizando los cursos de esta Web!

Recordad: el saber no ocupa lugar.

Tu oficina
en casa

INTRODUCCIÓN A LA OFIMÁTICA

Después de conocer las partes que componen nuestro ordenador, los distintos sistemas operativos y el mundo de Internet, ha llegado el momento de sacarle partido a las aplicaciones ofimáticas. Algunos diréis: "¿Qué es eso de la ofimática?". Por supuesto, procedemos a explicarlo, para que, además de que aprendáis a utilizarlas, conozcáis su significado.

El término "ofimática" proviene de la unión de las palabras oficina e informática. Antes de que existieran los ordenadores, todos los documentos de una oficina, ya fueran documentos, hojas de cálculo, etc., los podíamos encontrar en papel y clasificados en grandes carpetas para su comodidad y fácil identificación.

Gracias a la ofimática, se facilitó el control, almacenamiento y manipulación de documentos, ya que esas grandes carpetas y enormes cantidades de hojas de papel pasaron a ser archivos digitales.

Por lo tanto, la ofimática tiene como objetivo poner a nuestra disposición elementos que nos ayuden a simplificar, mejorar y automatizar la organización de las tareas que habitualmente se realizan en una oficina.

No sólo es utilizado como material de oficina, sino que tanto en casa, como en colegios, institutos, universidades, etc., utilizan las distintas aplicaciones ofimáticas. ¡Seguro que para presentar un trabajo en clase o para entregar unos informes en el trabajo habéis acudido a ellas!

Estas aplicaciones vienen recopiladas en lo que conocemos como *suite* ofimática y nos permiten crear, modificar, organizar, imprimir, entre otras acciones, archivos y documentos. Una de las más conocidas y utilizadas es Microsoft Office, perteneciendo su última versión al año 2013. Existen numerosas aplicaciones que nos permiten hacer esta serie de tareas y os hablaremos de algunas de ellas un poco más adelante. De momento, centrémonos en la *suite* ofimática que nos ofrece la empresa de Bill Gates, Microsoft Office.

Microsoft Office

Como hemos explicado anteriormente, Microsoft Office es una de las *suites* ofimáticas más conocidas y utilizada por todos. Cuenta con numerosas aplicaciones:

- Word.
- Excel.
- PowerPoint.
- OneNote.
- Outlook.
- Access.
- Lync.
- Project.
- Publisher.
- Visio.

Figura 5.1. *Suite ofimática Microsoft Office.*

> ***Al igual que la mayoría de programas, esta suite ha ido evolucionando con el paso de los años. Desde su lanzamiento, podemos conocer las versiones de 2003, 2007, 2010 y la última en salir al mercado, Microsoft Office 2013.***

También podemos trabajar con Microsoft Office desde entornos táctiles, como pueden ser tabletas y *smartphones*. Para aquéllos que dispongan de algunos de estos dispositivos o bien un ordenador con pantalla táctil, os enseñaremos una ayudita para que os podáis desenvolver mejor. ¡Esperemos que os resulte útil!

En la figura 5.2, os mostramos algunos movimientos básicos que realizaremos con nuestros dedos para llevar a cabo ciertas opciones y en la tabla 5.1 os enseñaremos los movimientos que debéis hacer para que os mováis libremente por vuestros documentos.

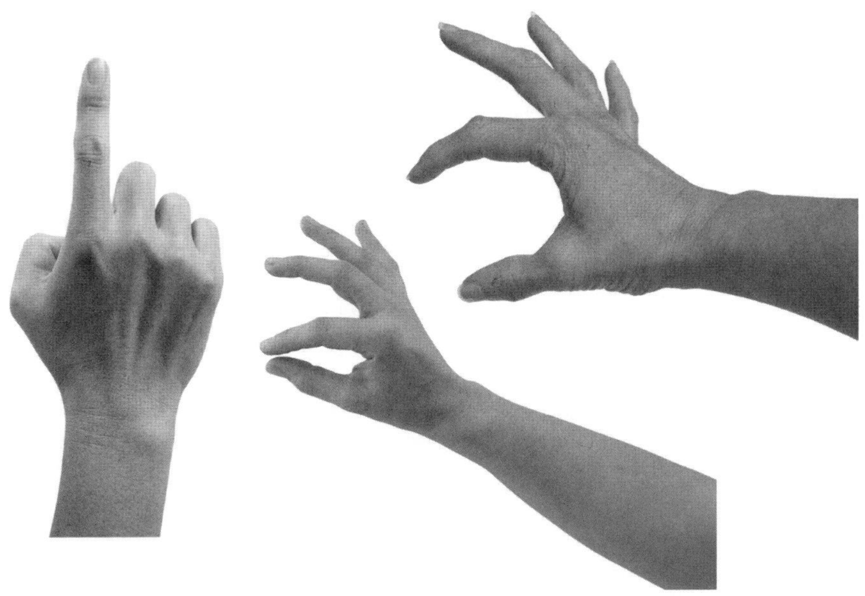

Figura 5.2. *Movimientos para ampliar, reducir y puntear, respectivamente.*

Para...	Hacer lo siguiente...
Desplazarse	Tocar el documento y deslizar hacia arriba y abajo
Acercar	Separar los dedos
Alejar	Acercar los dedos
Colocar el cursor	Puntear sobre el archivo
Mover un objeto	Tocar el objeto y deslizar

En este libro, nos centraremos en las principales aplicaciones: Word, Excel y PowerPoint.

WORD

Quizás el más utilizado del paquete, Word es una aplicación de procesamiento de datos que nos ayuda a crear documentos, escribir en ellos y organizarlos de manera eficaz.

A la hora de crear un documento, podemos elegir si empezar a partir de una hoja en blanco o reducir nuestro trabajo utilizando una plantilla. ¡Practiquemos un poco!

CREAR, GUARDAR Y CERRAR UN DOCUMENTO

Empezaremos creando una hoja en blanco (la elección de plantillas la dejaremos para un poco más adelante) y, para ello, una vez abierto el programa, haremos clic en **Documento en blanco**.

Para crear un nuevo documento teniendo uno abierto, sólo tenemos que hacer clic en el botón Archivo *y luego elegir la opción* Nuevo.

En la ventana que aparece podemos ver, como su nombre indica, lo que sería el equivalente a un folio en blanco, donde, tanto arriba como abajo, tenemos diferentes opciones. ¡Veamos de qué se trata! (véase la figura 5.3).

En la parte superior de la ventana, podemos encontrar el botón **Archivo**, que incluye las acciones más importantes como **Abrir**, **Guardar**, **Imprimir** o **Cerrar**, entre otras. También nos encontramos con la Cinta de opciones, dividida en diferentes fichas. Los comandos que forman parte de las fichas nos ayudan a dar formato o, lo que es lo mismo, poner bonito nuestro documento. Hagamos un breve recorrido por las fichas más importantes, viendo qué podemos encontrar en cada una de ellas y qué utilidad le podemos dar.

- Ficha **Inicio**: En esta ficha encontraremos los comandos más comunes, con los cuales podemos poner el texto en negrita, cambiar el tamaño de la fuente o buscar alguna palabra o frase en el documento, entre otros.

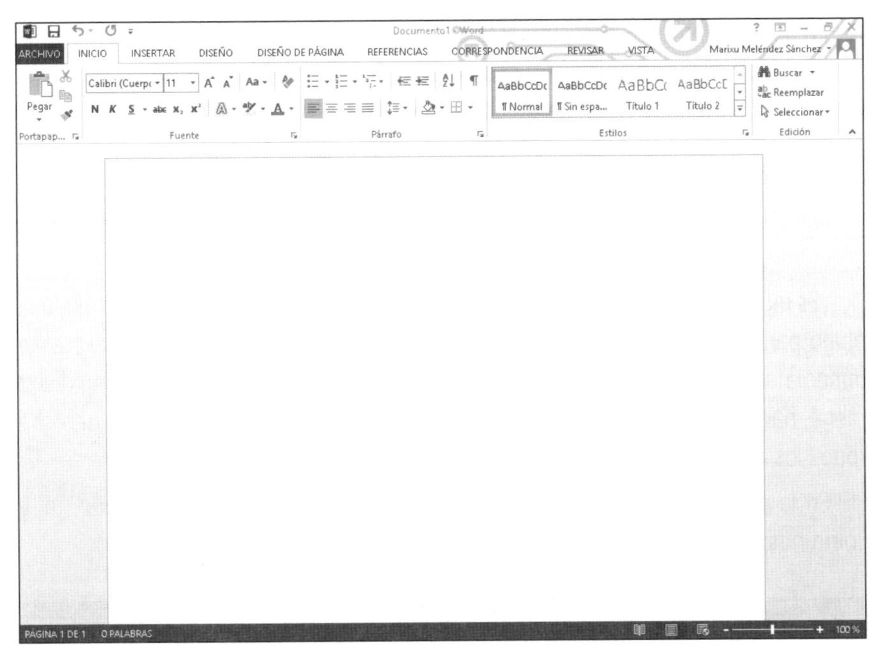

Figura 5.3. *Ventana de Microsoft Word.*

- Ficha **Insertar**: Para insertar imágenes, tablas o añadir números a las páginas, utilizaremos la ficha **Insertar**.
- Ficha **Diseño**: Con los comandos que aparecen en ella podemos dar formatos a nuestros documentos, con diferentes colores, incluyendo fondos y bordes.
- Ficha **Diseño de página**: Algunos de los comandos que podemos encontrar en esta ficha son **Márgenes**, **Orientación de la página**, **Espaciado del texto**.
- Ficha **Revisar**: En esta ficha podremos revisar, corregir, traducir un documento, entre otras funciones.
- Ficha **Vista**: Se utilizará para la visualización del documento con el que se esté trabajando, como, por ejemplo, acercar o alejar mediante el **Zoom**.

En la parte superior derecha, está situada la barra de herramientas de acceso rápido. ¿Y para qué se utiliza? En ella podemos configurar esas funciones que utilicemos más a menudo para identificarlas de manera más fácil y cómoda.

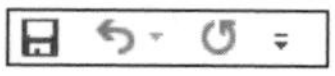

Figura 5.4. *Barra de herramienta de acceso rápido. ¡Crea a una mayor velocidad!*

¡Es muy fácil de configurar! Simplemente, debemos hacer clic en la flecha hacia abajo para desplegar el menú y elegir los comandos deseados. Éstos aparecerán inmediatamente, listos para ser utilizados. En el caso que no se encuentre en dicho menú, haremos clic en **Más comandos** y agregamos en el cuadro de la derecha todos los comandos que necesitemos. ¡Ya hacer clic en **Aceptar**!

En la parte inferior de la ventana, nos encontramos la barra de estado, tal y como nos muestra la figura 5.5.

Figura 5.5. *Barra de estado de Word.*

Si nos situamos en la parte izquierda de la barra de estado, siendo ésta modificable según el usuario, por defecto, nos indica el **Número de página** en el que nos encontramos en dicho momento y el total de ellas que hay. A su derecha, muestra el **Número de palabras** escritas en el documento. Por último, el icono nos indica si hay errores de revisión. En el caso que se encuentre como el icono anterior, significa que no existe ningún error, pero si aparece así (), ¡tendremos que revisar nuestro documento para que no contenga errores!

Pasemos ahora a la parte izquierda de la barra de estado donde, por defecto, nos muestran tres tipos diferentes de ver nuestro documento: **Diseño de impresión**, **Modo de lectura** y **Diseño web**. Recordad que podemos ver estas mismas opciones en la ficha **Vista** de la Cinta de opciones. Y, para finalizar, seguro que esa barrita que aparece en la parte derecha de la ventana os suena. Se trata del **Zoom**, con el que podemos acercar o alejar nuestro documento.

El Zoom *situado en el 100 por 100 obtiene el tamaño real de una hoja o folio en blanco.*

Ahora que ya conocemos las principales herramientas de Word, ¡estáis preparados para crear vuestro documento!

¿Ya habéis creado el documento y lo queréis guardar en vuestro PC? Solamente tenemos que hacer clic en **Archivo** y seleccionar la opción **Guardar**. ¿Dónde lo queremos guardar? Tenemos varias opciones, pero esta vez explicaremos cómo guardarlo en nuestro equipo.

1. Elegiremos la opción **Equipo** y Word nos muestra una serie de **Carpetas recientes**, donde podemos hacer clic sobre ellas y guardar directamente en dicha carpeta, o hacemos clic en **Examinar** y buscamos nosotros mismos la carpeta donde deseamos guardar nuestro documento.
2. Una vez seleccionada la carpeta, aparecerá una ventana donde introduciremos el nombre que queramos darle al documento y, a continuación, hacemos clic en **Guardar**.

Para guardar de una forma rápida, podemos utilizar la barra de herramientas de acceso rápido (▣) o usar la combinación de teclas **Control-G**.

Ya hemos terminado, ¿no? Pues ahora sólo queda cerrar el documento y, para ello, únicamente debemos hacer clic en el botón **Archivo** y seleccionar **Cerrar**. También podemos hacer clic en el botón **Cerrar** (☒), situado en la esquina superior derecha.

¡Cuidado con cerrar el documento antes de guardarlo! Aseguraos de que lo habéis hecho anteriormente y, si no es así, antes de cerrarse completamente, aparecerá un cuadro de diálogo mostrando la opción de guardar los datos efectuados.

Abre un documento nuevo y realiza un escrito, debe contener un título alineado a la izquierda (utiliza un número mayor de fuente) y dos párrafos centrados. Después, guárdalo en el escritorio utilizando el nombre `Probando probando`*. Para finalizar, cierra el documento.*

Abrir y editar un documento existente

Es posible que necesitemos corregir algunos errores o seguir introduciendo información en nuestro documento, por lo que accederemos de nuevo a él. La manera más fácil y rápida es hacer doble clic sobre el archivo correspondiente, pero veamos cómo podemos abrirlo desde el propio programa:

1. Cuando ejecutamos el programa, en la parte derecha nos aparece una lista con los últimos documentos con los que hemos trabajado y, justamente debajo, la opción **Abrir otros documentos** (véase la figura 5.6).

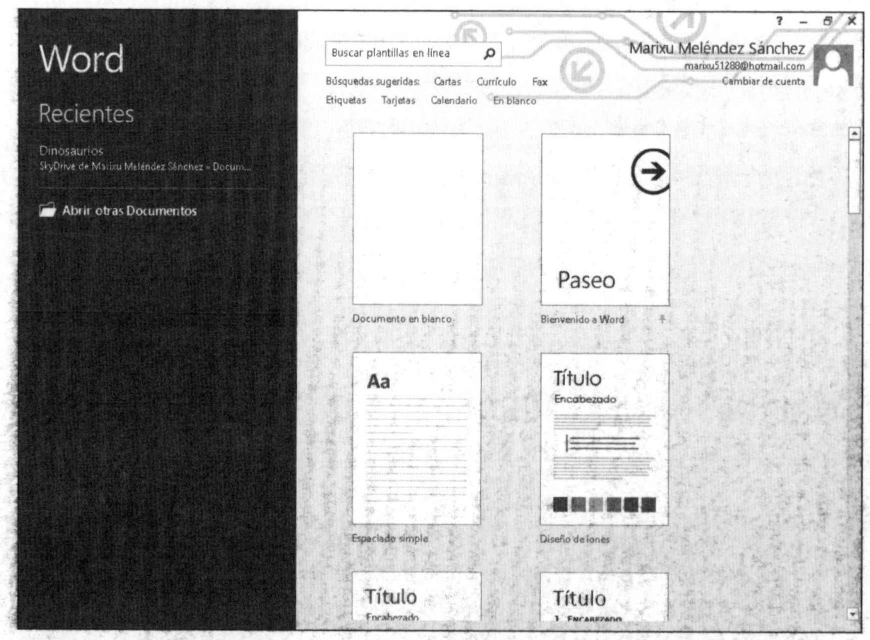

Figura 5.6. *Documentos recientes y la opción de abrir un documento ubicado en el equipo*

En el caso que el documento que deseáis utilizar esté entre los recientes, simplemente con hacer clic sobre él, éste se abrirá. Si no es así, ¡lo buscaremos en nuestro PC! Para ello, hacemos clic en **Abrir otros documentos** y buscamos en nuestro equipo la carpeta donde está ubicado. Para finalizar, hacemos clic en **Abrir**.

2. ¿Y si tengo un documento abierto y quiero abrir otro? En tal caso, haremos clic en **Archivo**, seleccionaremos **Abrir** y seguiremos las instrucciones explicadas anteriormente.

¡Ya podemos editar libremente! No olvidéis guardar después de realizar cambios.

Plantillas

Como podéis observar en la figura 5.6, justo al lado de **Documento en blanco**, se encuentra una galería de plantillas donde podemos utilizar la que deseemos. En muchas ocasiones, resulta más fácil utilizar una plantilla en vez de empezar con una página en blanco. Las plantillas de Word están listas para su uso, con temas y estilos, lo único que debemos hacer es agregar contenido.

Existen diferentes categorías para las plantillas, incluso podemos buscar plantillas adicionales en línea.

Cuando hacemos clic sobre una de ellas, nos muestra los detalles de ésta y, si la queremos utilizar, simplemente debemos hacer clic en el botón **Crear**.

Imprimir un documento

¡Llegó la hora de obtener "físicamente" nuestro trabajo realizado con Word! Para ello, debemos disponer de una impresora y, por supuesto, ¡los cartuchos de tinta deben estar llenos!

Con nuestro documento abierto, hacemos clic en **Archivo>Imprimir** (véase la figura 5.7).

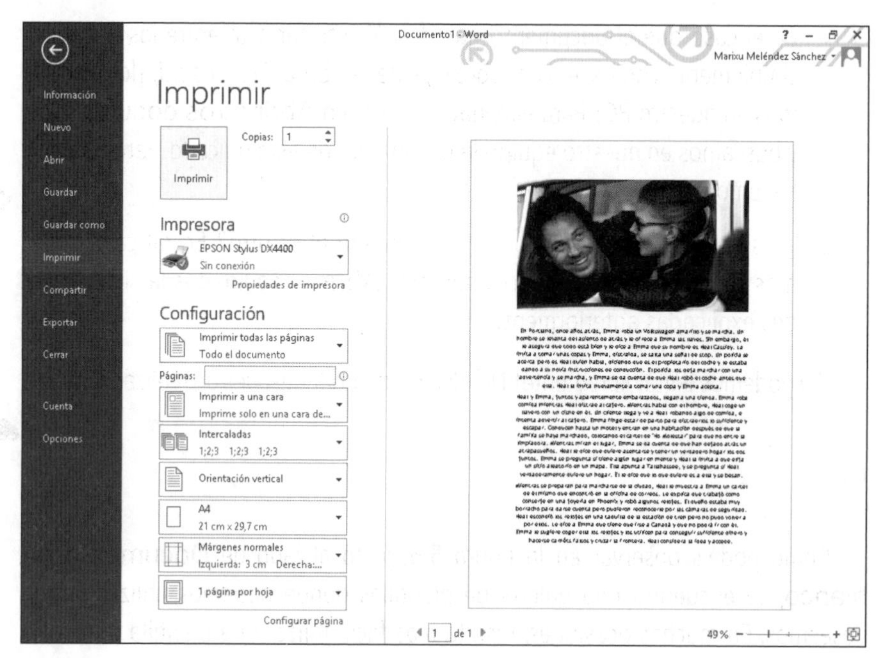

Figura 5.7. *Imprimir un documento.*

En los programas de Microsoft Office, al menos en las versiones más recientes, **Imprimir** y **Vista Previa** se encuentran en la misma ventana, ofreciendo la posibilidad de ver cómo ha quedado nuestro documento antes de imprimirlo.

A la hora de imprimir, podemos seleccionar el número de copias que queremos, seleccionar la impresora con la que deseamos trabajar (en caso de poseer dos o más) y configurar algunas opciones, como por ejemplo:

- Imprimir todas las páginas o sólo algunas de ellas.
- Impresión por una cara o por ambas.
- Orientación y tamaño de la página.
- Márgenes.

Ayuda de Word

Gracias a ella podemos aclarar muchas de nuestras dudas, además de encontrar información sobre las diferentes funciones que nos muestra Microsoft Word. ¡Veamos cómo podemos acceder a ella!

1. Existen diferentes maneras, empezaremos con la más fácil. ¡Sólo tenéis que pulsar la tecla **F1**!
2. Aunque con el mismo resultado que la anterior, otra forma para abrir la ayuda de Word es haciendo clic en el icono [?], situado en la parte superior derecha de la ventana (véase la figura 5.8).

Podemos buscar lo que necesitemos usando el cuadro situado en la parte superior y haciendo clic en el icono de la lupa.

Figura 5.8. *Ayuda de Word, ¡la solución a nuestras dudas!*

EXCEL

Después de aprender a manejar Word, ¡pasemos a otra cosa, mariposa! Le toca el turno a Excel, una aplicación que nos permite trabajar con datos, fórmulas, gráficos y otras funciones avanzadas. Es muy útil para elaborar listas o también, por ejemplo, facturas. Gracias a esta aplicación, podemos realizar el seguimiento de casi cualquier tipo de información. ¡Veamos cómo funciona!

CREAR, GUARDAR Y CERRAR UN LIBRO

Antes de empezar, expliquemos que es un libro. Un documento en Excel recibe el nombre de libro y éstos están formados por hojas. Vamos, ¡como un libro real! Estas hojas normalmente se denominan hojas de cálculo y, a su vez, están formadas por columnas y filas, donde cada cuadrícula recibe el nombre de celda. Podemos agregar tantas hojas como queramos en un libro, incluso crear libros nuevos para separar unos datos de otros. ¡Empecemos creando uno!

Una vez que abramos la aplicación, vemos que es bastante similar a la anteriormente explicada Word. Al igual que ésta, también podemos acceder a plantillas diseñadas, que nos facilitarán el trabajo a realizar, pero, en este caso, optaremos por abrir un libro en blanco. Simplemente, debemos hacer clic en **Libro en blanco**.

La ventana que nos aparecerá será como la mostrada en la figura 5.9. En ella cabe destacar, por supuesto, la hoja de cálculo, la barra de fórmulas y la Cinta de opciones con sus correspondientes fichas.

¿Qué fichas podemos encontrar en Excel? ¡Veámoslas!

- **Inicio**: Esta ficha incluye los comandos relacionados con el formato y la alineación de las celdas.
- **Insertar**: Utilizando esta ficha, podemos incluir tablas y gráficos en nuestra hoja de cálculo, entre otros elementos.

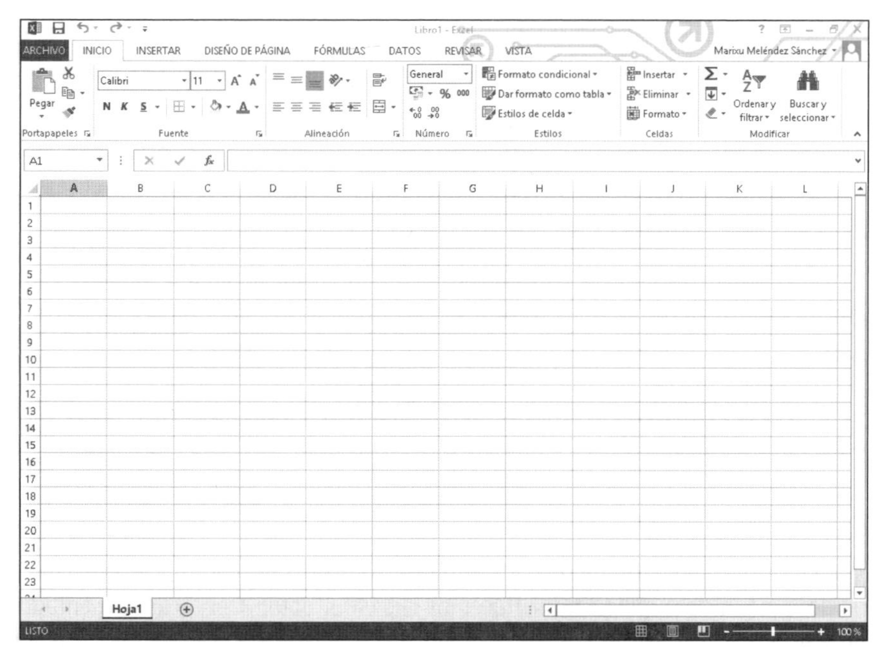

Figura 5.9. *Ventana de Microsoft Excel.*

- **Diseño de página**: Para los temas relacionados con la configuración de la página y ajustes de impresión.
- **Fórmulas**: Incluye las fórmulas matemáticas que podemos utilizar con Excel. Primero, seleccionaremos la celda donde aparecerá el resultado y luego elegimos la función que deseamos aplicar.
- **Revisar**: ¡Cuidado con la ortografía! Esta ficha nos ayudará a que todo esté correctamente escrito.
- **Vista**: Contiene las opciones relacionadas con la visualización del documento.

Para introducir datos en nuestra hoja de cálculo, basta con hacer clic en una de las celdas y escribir sobre ella. Para pasar a otra celda, utilizaremos la tecla **Intro** o **Tab**. ¡Empezad a practicar y veréis que cómodo resulta recopilar datos en Excel!

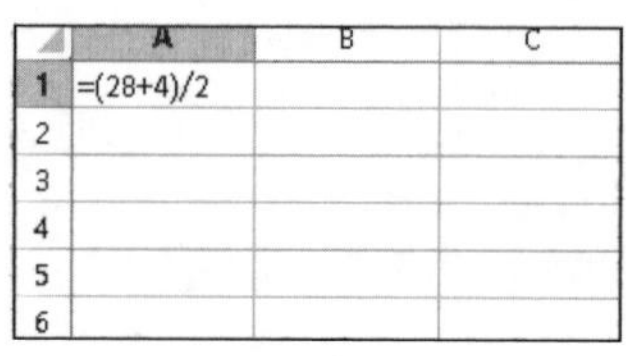

	A	B	C
1	=(28+4)/2		
2			
3			
4			
5			
6			

Figura 5.10. *Operación sencilla realizada con Excel.*

¿Tenéis lista vuestra hoja de cálculo? Pues vamos a guardarla. Aunque este proceso es exactamente igual al realizado en Word, recordemos un poco cómo se hace:

1. Hacemos clic en **Archivo** y seleccionamos la opción **Guardar**.
2. Seleccionamos el lugar del ordenador donde lo queremos ubicar y, a continuación, hacemos clic en el botón **Guardar**.

Ahora, ¡a cerrar! Recordad guardar antes de cerrar el documento. ¡No queremos perder ningún dato importante! Hacemos clic en el botón **Cerrar** (representado por una X).

Abrir y editar un libro existente

Si nuestro libro está incompleto o si queremos introducir nueva información, debemos abrir el documento para así poder modificarlo. Para abrirlo desde el propio Excel:

1. Una vez abierta la aplicación, hacemos clic en **Abrir otros libros**, donde podremos buscar en nuestro ordenador la ubicación donde se encuentra el documento a editar.
2. Hacemos clic en **Abrir** y... ¡a editar libremente!

Insertar y eliminar una hoja de cálculo

Por defecto, cuando abrimos un libro nuevo, aparece con una hoja abierta, pero, ¿y si necesitamos más? En la parte inferior de la ventana, podemos hacer clic en ⊕ para añadir tantas hojas como necesitemos. También podemos eliminarlas en el caso que no resulten necesarias. Simplemente haciendo clic con el botón derecho sobre la pestaña deseada, seleccionamos **Eliminar**. ¡Tranquilos, en este caso, los árboles no sufren!

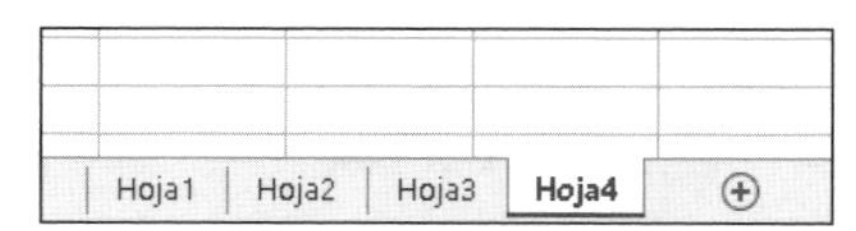

Figura 5.11. *Las diferentes hojas de un libro en Excel.*

Crea un libro formado por dos hojas de cálculo. En la primera hoja, escribe de manera vertical tres lugares a los que te gustaría viajar. En la segunda hoja, de forma horizontal, escribe tres elementos fundamentales que te llevarías a la hora de realizar un viaje. Guarda los cambios realizados y cierra el libro.

Ayuda de Excel

¿Queréis saber más sobre Excel? Echadle un vistazo a la ayuda que nos ofrece para aclarar nuestras dudas y, porqué no, para aprender a realizar ciertas tareas que nos interesen. ¿Cómo hacerlo de forma rápida? Pulsa F1 y aparecerá el cuadro de diálogo correspondiente donde éste se encargará de dar solución a todas nuestras preguntas.

Es una de las aplicaciones más divertidas de Microsoft Office. Con ella podemos crear presentaciones mediante diapositivas, en las cuales podemos incorporar texto, imágenes, formas, etc.

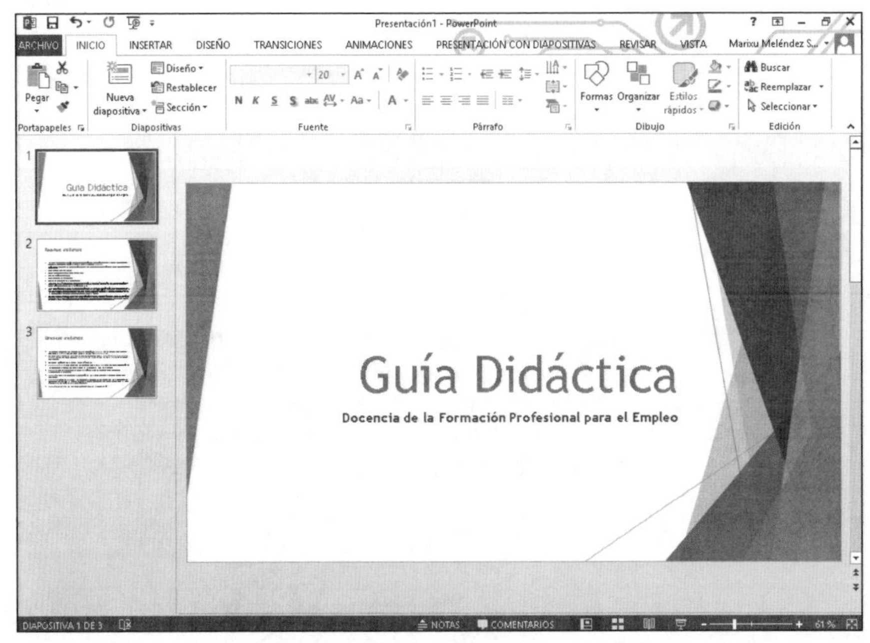

Figura 5.12. *Presentación realizada con PowerPoint.*

El proceso para crear (con o sin plantilla), guardar y cerrar una presentación es similar al que hemos aprendido anteriormente con Word y Excel. Como podemos ver en la figura 5.12, podemos distinguir dos partes en la pantalla: a la izquierda, podemos encontrar todas las diapositivas en miniatura en el panel de diapositiva y esquema y, a la derecha, en el panel de diapositivas, veremos la diapositiva seleccionada preparada para que le demos formato e incluyamos contenido.

Podemos incluir tantas diapositivas como queramos o, por el contrario, eliminarlas. ¿Cómo podemos hacer esto?

1. Si lo que queremos es insertar una nueva diapositiva, podemos utilizar la ficha **Insertar>Nueva diapositiva** o bien haciendo clic con el botón derecho en el panel de diapositivas y esquema, seleccionando **Nueva diapositiva**.
2. Para eliminarlas, hacemos clic con el botón derecho sobre la diapositiva que deseamos eliminar (en el panel de diapositivas y esquema) y seleccionamos **Eliminar diapositiva**.

Os preguntaréis: "Si esto es una presentación, ¿cómo se presenta?". ¡Buena pregunta!

Para visualizar una presentación en PowerPoint, visitaremos la ficha **Presentación** con diapositivas, donde podremos iniciarla, ya sea desde el principio o desde la diapositiva actual, entre otras opciones.

Una forma rápida para visualizar una presentación es haciendo clic en situado en la barra de estado. ¡Prueba también a pulsar F5!

Tus documentos siempre a mano: SkyDrive

¿Nos os ha pasado alguna vez que tenéis que entregar un trabajo en clase o algún informe en el trabajo y lo olvidáis en casa? ¿O quizás cambiar cierta información de un archivo en el último momento? ¡Aish, guardé la nueva información que incorporé pero el archivo que llevo en mi *pendrive* no está actualizado!

Seguro que éstas y otras situaciones similares os han ocurrido alguna vez. ¡Pero eso se acabó!

Con SkyDrive, podréis acceder automáticamente a vuestros documentos desde cualquier PC, tableta o *smartphone*. En resumen, toda vuestra información ya no tiene que estar en un solo PC o dispositivo, sino que estará almacenada en la nube.

Recordad que hablamos sobre el concepto de nube en el capítulo anterior.

También podréis compartir y trabajar con otros usuarios, donde todo el mundo puede ver y editar documentos. Para acceder, compartir y trabajar con vuestros archivos podéis hacerlo desde un equipo o desde la Web. ¡Veamos cómo podemos hacerlo!

SKYDRIVE EN EL EQUIPO

Lo primero que debemos hacer, muy importante, por supuesto, es instalar la aplicación en nuestro PC. Para ello, accederemos a través de Internet a la siguiente dirección y haremos clic en **Descarga SkyDrive**: `http://windows.microsoft.com/es-es/skydrive/download#apps`.

SkyDrive funciona de manera muy similar a otros programas que utilizan la nube, como Dropbox y Box, de los cuales hablamos en el capítulo anterior.

Una vez instalada la aplicación, se creará automáticamente la carpeta de SkyDrive en vuestra pantalla de **Inicio**. Todos los archivos insertados en esta carpeta se sincronizarán automáticamente con otros equipos que tengan SkyDrive.

¡Empecemos a utilizarla!

1. Simplemente tenéis que arrastrar y colocar vuestros archivos en la carpeta para que se carguen en vuestra cuenta de almacenamiento en la nube. Cuando los archivos hayan terminado de cargarse, aparecerá una marca de verificación verde.

Siempre que guardéis una versión actualizada del archivo, SkyDrive actualizará automáticamente la carpeta con la última versión del archivo.

Figura 5.13. *Carpetas verificadas en SkyDrive.*

2. Os preguntaréis: "¿Y si no quiero sincronizar todas mis carpetas?". ¡No hay problema! Podéis elegir sólo aquellas carpetas que queráis. Nos situaremos en el área de notificación de la Barra de tareas. Para que lo identifiquéis de manera fácil, ¡justo al lado de la hora! Es posible que el icono se encuentre oculto, por lo que haremos clic en **Mostrar iconos ocultos** (). Una vez que demos con el icono de SkyDrive, haremos clic con el botón derecho del ratón sobre él y, a continuación, elegiremos **Configuración**. En el cuadro que os aparecerá, haciendo clic en la pestaña **Elegir carpetas**, ¡seréis libres de seleccionar la o las carpetas que deseáis sincronizar!

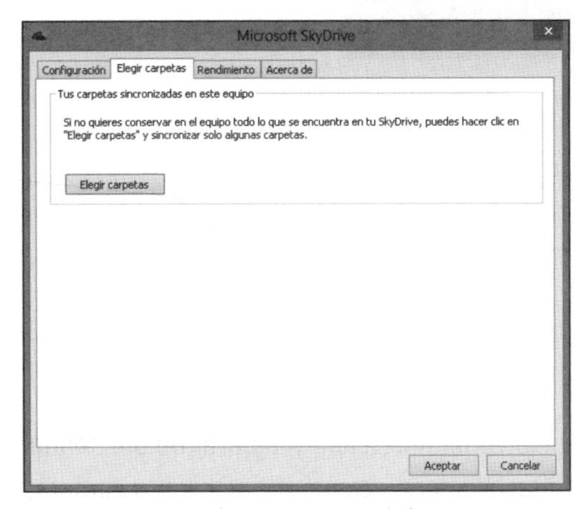

Figura 5.14. *Con SkyDrive podemos compartir las carpetas que deseemos.*

Podréis tener acceso a todos vuestros archivos sólo teniendo instalado SkyDrive en cualquier PC. Todo el contenido se sincronizará y descargará, pudiendo acceder a él de manera fácil y cómoda.

SkyDrive en la Web

En el apartado anterior, explicamos cómo acceder a nuestros archivos a través de la aplicación instalada en nuestro ordenador. ¡Pero no es la única manera! También podemos realizar lo explicado anteriormente a través de la dirección Web `http://skydrive.live.com/`.

Una vez en la Web, iniciaremos sesión con nuestra cuenta de Windows Live ID y contraseña, y luego nos encontraremos con lo que nos muestra la figura 5.15.

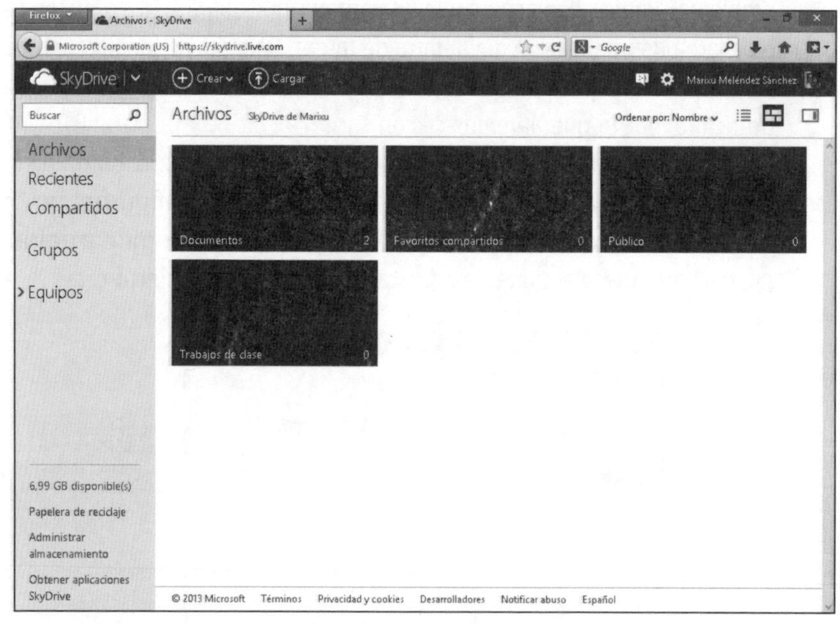

Figura 5.15. *Interfaz de SkyDrive en la Web.*

Haremos clic en la carpeta deseada y, a partir de ahí, tendremos la posibilidad de crear, cargar, editar, eliminar y compartir archivos y carpetas. ¡Todo de manera muy fácil e intuitiva! (véase la figura 5.16).

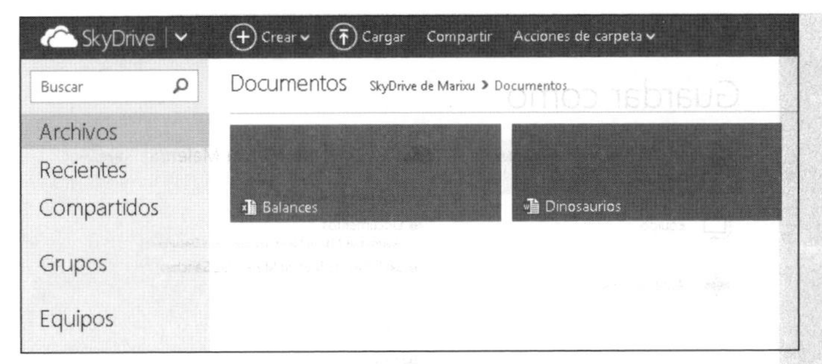

Figura 5.16. *Menú con las diferentes acciones a realizar en SkyDrive.*

Si tenéis instalada la aplicación en vuestro PC, encontraréis las carpetas sincronizadas anteriormente.

*Para trabajar de forma más personal y adecuada a cada persona, podéis personalizar el aspecto de vuestro SkyDrive en la Web. En la esquina superior derecha, podréis cambiar la vista (*Vista Detalles *y* Vista Miniaturas*) y ordenar vuestros contenidos.*

SkyDrive desde Microsoft Office

¿Y si estoy redactando un escrito desde Word y quiero guardarlo directamente en SkyDrive? ¡También podemos hacerlo! Es exactamente igual que lo explicado anteriormente para guardar un documento, a diferencia de que, en vez de guardar en nuestro equipo, haremos clic en **SkyDrive**. ¡También tendréis que iniciar la sesión con vuestros datos!

Al igual que podemos guardar un documento, también tenemos la posibilidad de abrir los que ya están en la carpeta de SkyDrive.

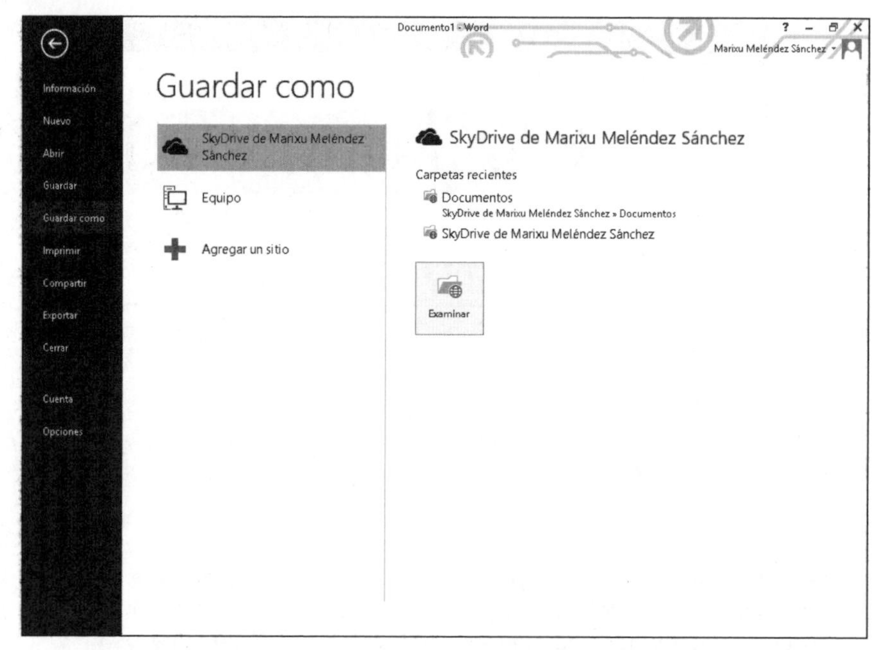

Figura 5.17. *Guardar documentos en SkyDrive a través de Microsoft Office.*

Configura tu correo en Outlook 2013

Ahora que sabemos cómo crear una cuenta de correo electrónico y gestionarla a través de la Web, también tenemos la posibilidad de gestionar todos nuestros mensajes a través de la aplicación Outlook, que forma parte de la *suite* ofimática de Microsoft Office. Para comenzar con su configuración, primero debemos abrir el programa.

1. Aparecerá el **Asistente para el inicio de Microsoft Outlook** y haremos clic en **Siguiente** para pasar a la siguiente ventana.
2. En la página **Agregar cuenta**, rellenaremos los diferentes campos con nuestra información y haremos clic en **Siguiente** (véase la figura 5.18).

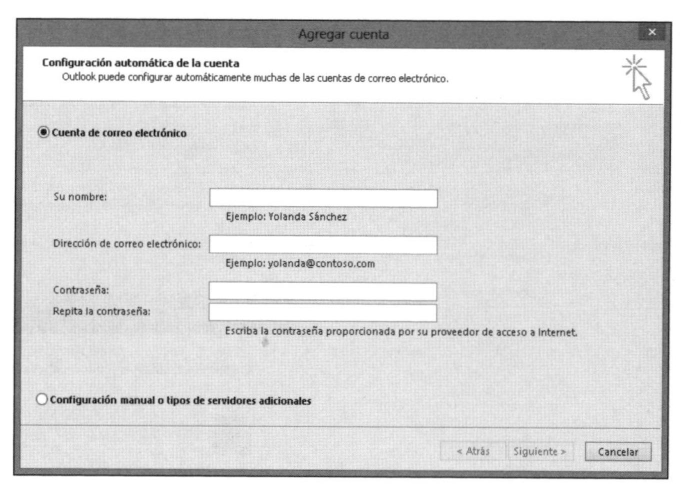

Figura 5.18. *Configuración de la cuenta de correo electrónico en Outlook 2013.*

Si no aparece el Asistente para el inicio de Microsoft Outlook*, tendremos que hacer clic en la pestaña* Archivo *de la barra de herramientas y, encima del botón* **Configuración de la cuenta***, haremos clic en* Agregar cuenta.

3. Nuestra cuenta se configurará automáticamente con el servidor correspondiente de correo electrónico. Si Outlook completa la configuración de la cuenta, veremos el siguiente texto: "**¡Enhorabuena! Su cuenta de correo se ha configurado correctamente y está lista para usar**". Para terminar, hacemos clic en **Finalizar**.

¡Ya está listo para gestionar todos vuestros mensajes!

Podemos añadir y gestionar tantas cuentas como queramos. Simplemente, debemos seguir las instrucciones mencionadas anteriormente.

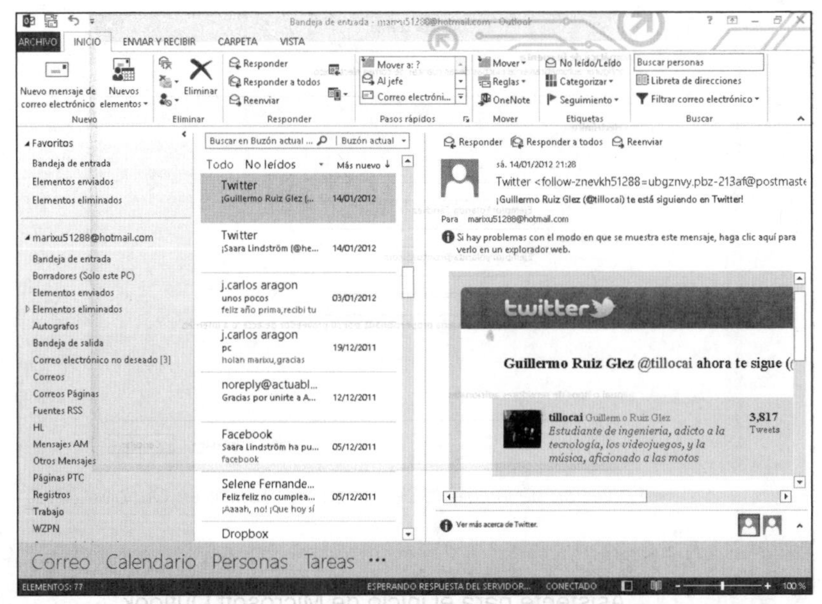

Figura 5.19. *Ventana de Outlook donde podremos gestionar nuestra cuenta de correo.*

OpenOffice

Al principio del capítulo, hablábamos sobre las *suites* ofimáticas y, al igual que Microsoft Office, OpenOffice también es una *suite* que incluye herramientas para desarrollar diferentes tareas, como crear documentos, trabajar con hojas de cálculo, presentaciones, bases de datos, entre otras aplicaciones. Tiene la particularidad de ser libre, es decir, podemos trabajar con ella de manera totalmente gratuita.

Con esta *suite* ofimática podemos:

- Crear un documento de texto.
- Crear una hoja de cálculo.
- Crear una presentación.
- Crear un dibujo.
- Crear una base de datos.
- Crear fórmulas.
- Abrir un documento.
- Utilizar plantillas.

Figura 5.20. *¿Qué podemos hacer con OpenOffice?*

Dispone de diferentes aplicaciones, ¡veamos cuáles son!

Aplicación	Función	Similitud
Writer	Procesador de texto	Microsoft Word
Calc	Hoja de cálculo	Microsoft Excel
Impress	Presentaciones	Microsoft PowerPoint
Draw	Gráficos vectoriales	Microsoft Visio
Base	Base de datos	Microsoft Access
Math	Fórmulas	No equivale a ninguno

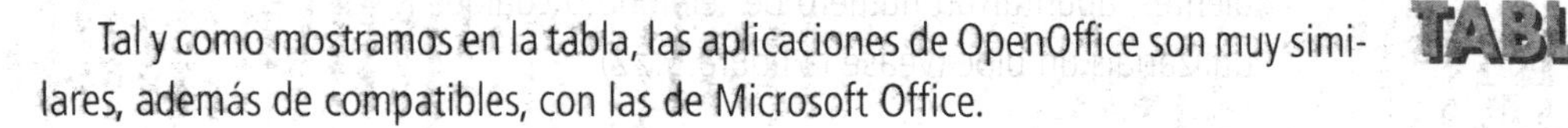

Tal y como mostramos en la tabla, las aplicaciones de OpenOffice son muy similares, además de compatibles, con las de Microsoft Office.

¡Tenemos un secreto que contaros! OpenOffice, desde su versión 2.0 (siendo la actual la 3.0), esconde un juego oculto para todos. Pero nosotros os contaremos cómo encontrarlo, ¡seguid las instrucciones!

- *Abrid* **OpenOffice Calc**.
- *Una vez abierto, haced clic en cualquier celda y escribid =game().*
- *Pulsad la tecla* Intro *y a continuación os preguntará:* `say what?`.
- *Le responderéis escribiendo* `=game("StarWars")` *y luego pulsaréis de nuevo la tecla* Intro.
- *Si habéis seguido las instrucciones correctamente, ¡el juego se abrirá!*

Otras utilidades

Muchas de ellas se utilizan a menudo, por lo que haremos un repaso de las distintas utilidades que podemos encontrarnos en nuestro PC:

- **Bloc de notas**: Es una aplicación básica de edición de texto que principalmente se usa para ver o editar archivos de texto. Para realizar tareas más avanzadas, como usar colores, diferentes fuentes o insertar imágenes, resultará más conveniente utilizar WordPad, que también nombramos entre las diferentes utilidades.
- **Calculadora**: Podéis usar la calculadora para varias tareas, desde cálculos básicos hasta estadísticas avanzadas. ¡Matemáticas, allá vamos!
- **Notas rápidas**: Aplicación muy útil para escribir una lista de tareas pendientes, apuntar un número de teléfono o cualquier otra cosa para la que utilizaríais un bloc (véase la figura 5.22).

Figura 5.21. *Una de las herramientas más utilizadas, la calculadora.*

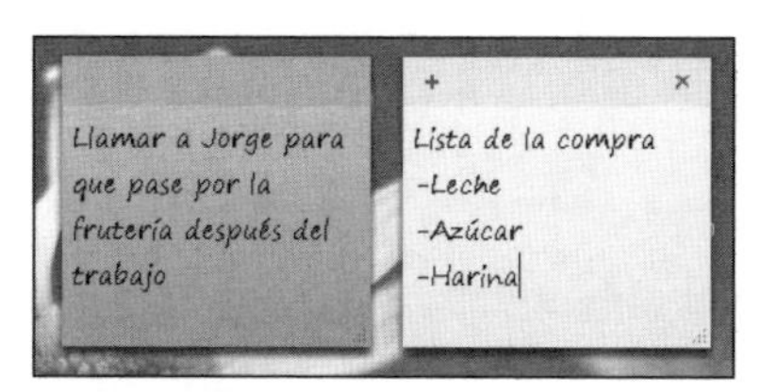

Figura 5.22. *¡Se acabó el papel! Anota tus cosas en las notas rápidas*

Las notas creadas no se eliminan cuando apagamos nuestro PC, es decir, la próxima vez que lo encendamos, estarán allí.

- **WordPad**: Al igual que el Bloc de notas, es una aplicación de edición de texto básica que se utiliza para crear y editar archivos, pero en este caso podemos incluir texto con diferentes fuentes y colores, insertar imágenes y agregar vínculos a otros archivos.

Los archivos creados con Wordpad podremos leerlos tanto con Microsoft Word como con OpenOffice Writer.

Cuidado con los virus, ¡protege tu PC!

En nuestro día a día, realizamos una serie de acciones que nos hacen prevenir ciertos problemas, como por ejemplo, abrigarnos en épocas de frío para no pillar un catarro, relacionarnos con la gente adecuada e incluso mantener nuestra casa segura para evitar que los ladrones entren.

Pues exactamente ocurre en nuestros ordenadores. Existen piratas informáticos, ladrones de información que se dedican a hacer daño a otras personas con o sin razón alguna.

Al igual que un virus en nuestro cuerpo, el cual hace que estemos cansados, tengamos menos fuerzas y estemos más débiles, un virus en nuestro PC realiza acciones similares, como mayor lentitud en el sistema o desaparición de datos personales.

Tranquilos, ¡existen soluciones para evitar que esos virus entren en vuestro ordenador! Prestad atención a este capítulo porque es muy importante que tengáis protegidos vuestros equipos.

Empecemos explicando con más detalles que es un virus en el mundo de la informática.

¿QUÉ ES UN VIRUS?

Adopta este nombre ya que actúa de forma similar a un virus biológico en el cuerpo humano. Un virus informático es un programa que "infecta" a otros archivos del sistema con la intención de modificarlos o dañarlos. Durante la infección, el virus se encarga de insertar un código malicioso en el interior de la "víctima", que normalmente son archivos ejecutables, y, por tanto, pasa a ser un archivo portador del virus.

Tiene la función de propagarse mediante un software o programa, ya que no posee la facultad de replicarse a sí mismo. ¿Y cómo se propaga? Muy fácil, simplemente compartiendo ese archivo, ya sea por correo electrónico, redes sociales o simplemente a través de un *pendrive*. ¡Todo sin que nosotros lo sepamos!

Figura 6.1. *Un virus informático es similar a un virus biológico.*

Algunos son inofensivos y simplemente se caracterizan por ser molestos, pero existen otros que pueden causar verdaderos desastres en vuestro ordenador.

Veamos cuál es el funcionamiento básico de un virus:

- Ejecución de un archivo infectado, en la mayoría de las veces, por desconocimiento del usuario.
- El código malicioso del virus queda alojado en la memoria RAM.
- El virus toma el control de otros archivos del sistema operativo, infectando a los archivos ejecutables.
- Cuando se ejecuta un archivo, a éste se le copia el código malicioso quedando también infectado.

Es posible que tengamos un virus incrustado en un archivo, pero no estará infectado hasta que lo hayamos ejecutado.

El primer virus de la historia

¿No tenéis curiosidad sobre cómo se creó el primer virus? ¡Pues os lo vamos a contar!

Recibió el nombre de Creeper ("enredadera") y fue un programa informático creado por Robert Thomas en 1971. No fue diseñado con el fin de molestar o causar daños, sino para comprobar si se podía crear un programa que se moviera entre ordenadores.

¿Y qué es lo que hacía Creeper? Una vez introducido en una red de ordenadores, es decir, donde estos estaban conectados entre sí, iba pasando de un equipo a otro realizando travesuras que consistían en imprimir archivos a medias y enviar un mensaje que decía: "***I'm the creeper, catch me if you can!***" (Soy una enredadera, ¡atrápame si puedes!). A diferencia de sus sucesores, Creeper no dejaba copias de sí mismo tras de sí, sino que las borraba después de "saltar" a su siguiente destino.

Pero, por mala suerte, estos pequeños experimentos se convirtieron en nuestros enemigos informáticos. Existen diferentes tipos de virus con los que nos podemos encontrar cuando nos conectemos a Internet o, simplemente, cuando nos descarguemos algún tipo de archivo. Seguid leyendo y sabréis cuáles son los tipos de virus más comunes.

TIPOS DE VIRUS MÁS COMUNES

Los virus, al igual que los ordenadores, programas o sistemas operativos, han ido evolucionando a lo largo de los años. Aunque su funcionamiento básico es el que hemos explicado anteriormente, éstos también han evolucionado de manera avanzada. ¡Veamos cuáles son los más comunes que nos podemos encontrar!

GUSANOS

A diferencia del virus básico, el gusano, *worm*, es un tipo de virus que tiene la propiedad de replicarse a sí mismo, por lo que se extiende de manera muy rápida. ¿Qué quiere decir esto? Ellos solitos se encargan de su propagación sin necesitar la ayuda de una persona. Unas de las características más peligrosas de los gusanos es su capacidad para replicarse y enviar de manera automática miles y miles de copias de sí mismos, ocasionando el caos en nuestro ordenador.

Impiden que hagamos nuestras tareas diarias de manera normal, ya que, al colapsar nuestro PC, éste irá lento.

Uno de los métodos más comunes que utilizan los gusanos es a través de enlaces, distribuidos en las redes sociales y correos electrónicos. Una vez que el gusano reside en el ordenador de un amigo, éste enviará dicho gusano automáticamente sin su consentimiento a otros amigos o contactos.

¡Tened cuidado al abrir enlaces o correos electrónicos extraños, aunque pertenezcan a un amigo/a!

CARACTERÍSTICAS PRINCIPALES, ¡HAGAMOS UN REPASO!

- Tienen la capacidad de propagarse sin la ayuda del usuario.
- Gracias a la capacidad de propagarse de forma muy rápida, colapsan los equipos haciendo que éstos vayan a una velocidad más lenta de lo normal.
- Los gusanos se ejecutan al cargar el sistema operativo.

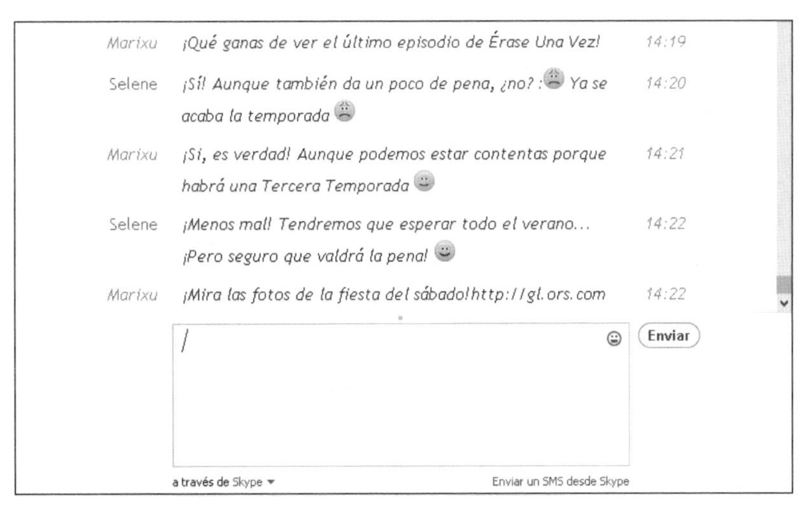

Marixu
¡Qué ganas de ver el último episodio de Érase Una Vez!
14:19
Selene
¡Sí! Aunque también da un poco de pena, ¿no? : Ya se acaba la temporada
14:20
Marixu
¡Sí, es verdad! Aunque podemos estar contentas porque habrá una Tercera Temporada
14:21
Selene
¡Menos mal! Tendremos que esperar todo el verano... ¡Pero seguro que valdrá la pena!
14:22
Marixu
¡Mira las fotos de la fiesta del sábado!http://gl.ors.com
14:22
Enviar
a través de Skype
Enviar un SMS desde Skype

Figura 6.2. *Un enlace desconocido es uno de los métodos más utilizados por los gusanos.*

Troyanos

Los troyanos deben su nombre al famoso caballo de Troya. ¿No conocéis su historia? Os haremos un breve resumen.

Cuando los griegos quisieron invadir Troya, éstos engañaron a los troyanos con un regalo, un caballo de madera gigante, donde dentro estaba escondido un ejército de soldados. Cuando los troyanos aceptaron el regalo, el ejército asaltó la ciudad.

De ahí a que este virus reciba este nombre. En principio, parece un archivo inofensivo, como puede ser un archivo de música o de vídeo, pero realmente esconden una herramienta maliciosa capaz de crear lo llamado puerta trasera (*blackdoor*). Éstas permiten el control remoto del ordenador infectado por un usuario no autorizado a ello, es decir, toman el control de nuestro ordenador.

Una puerta trasera o blackdoor es un sistema informático mediante el cual se pueden evitar los sistemas de seguridad para acceder al sistema operativo.

Figura 6.3. *Troyanos con sorpresas en su interior.*

Algunas de las acciones que pueden llevar a cabo un troyano son, por ejemplo, modificaciones en el escritorio, robo de información personal, eliminación o modificación de archivos, apagar o reiniciar el sistema u ocupar el espacio libre del disco duro con archivos sin utilidad ninguna.

Características principales, ¡hagamos un repaso!

- Un troyano se esconde en un programa o archivo aparentemente inofensivo.
- Crea un agujero de seguridad en nuestro ordenador permitiendo el control remoto por parte de un usuario no autorizado.
- Los troyanos no se replican normalmente, como hacen los gusanos y los virus.

SPYWARE Y ADWARE

Seguimos con los distintos enemigos malignos que podemos encontrarnos en la red. Además de los virus, gusanos y troyanos, existen otros tipos de software maliciosos que pueden hacer daño a nuestro ordenador.

El *spyware* o programa espía se encarga de recopilar información personal de un ordenador y después la transmite al que controla la aplicación sin el conocimiento o consentimiento del propietario.

Muchos de estos programas los instalamos en nuestro ordenador cuando no leemos correctamente los pasos a seguir al instalar otros programas. ¡El típico siguiente, siguiente, siguiente! Es muy importante leer detenidamente los pasos ya que muchos de ellos nos advierten de que otro *software* diferente se instalará también en nuestro equipo. ¡Hay que fijarse bien y evitar instalarlo!

Estos tipos de programas reciben el nombre de *adware*, los cuales son un tipo de *spyware*. Su función es ejecutar, mostrar o descargar publicidad en el ordenador, con el fin de redirigirnos a ciertas páginas Web o rastrear las ya visitadas por nosotros para la recopilación de datos.

¿Cómo podemos saber si hay un *spyware* en nuestro ordenador? ¡Aquí os dejamos con algunos de sus síntomas!

- Aparición constante de *pop-up's* o ventanas emergentes con contenidos comerciales e incluso contenidos para adultos (véase la figura 6.4).

Figura 6.4. *Ventana emergente mostrando publicidad.*

- Aparición de nuevas barras de herramientas e iconos en nuestro navegador Web (véase la figura 6.5).
- Cambio de la página de inicio, es decir, la primera página que aparece cuando abrimos el navegador de Internet.
- Lentitud del sistema y de la navegación por Internet.

Figura 6.5. *Barra de herramientas que aparece en nuestro navegador sin haberla solicitado.*

Aunque muchos de ellos, a pesar de su desinstalación siguen dejando rastro, podemos deshacernos de algunos de los síntomas nombrados anteriormente. ¡No queremos programas *spyware* en el PC! Seguid estos pasos:

1. Estando en la pantalla **Inicio**, seleccionamos **Panel de control** y haremos clic sobre él cuando aparezca en la lista de **Aplicaciones**. A continuación, hacemos clic en **Programas y características**.

2. Seleccionamos el programa espía que deseamos desinstalar y hacemos clic en **Desinstalar**.

¡Adiós, *spyware*, adiós!

> *Si no estamos situados en la pantalla* Inicio, *simplemente pulsando la tecla con el símbolo de Windows, ésta nos llevará allí directamente.*

SPAM Y PHISHING

La palabra *spam* es muy conocida hoy en día, pero ¿sabéis realmente en qué consiste? Se considera *spam* (también llamado correo basura) todos aquellos mensajes, normalmente publicitarios, que recibimos en cantidades masivas y sin haberlos solicitado. La acción de enviar estos mensajes se denomina *spamming*.

Aunque existen diferentes medios para realizar *spam*, el más utilizado es a través del correo electrónico. Normalmente, en Outlook, llegan a la carpeta `Correo no deseado` y, en el caso de Gmail, éstos aparecen directamente en la carpeta `Spam` (véase la figura 6.6).

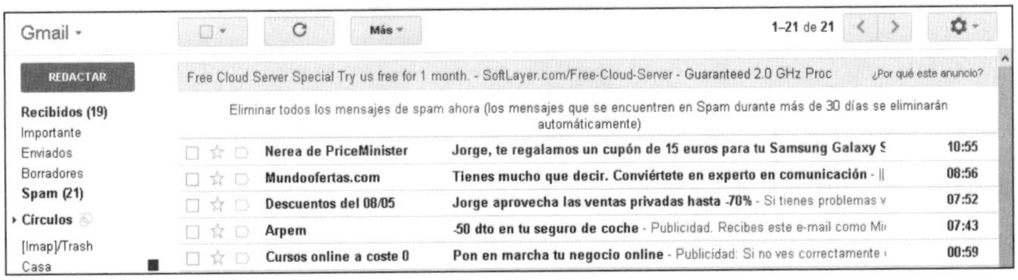

Figura 6.6. *Correos electrónicos considerados como spam.*

Uno de los principales motivos por los que recibimos *spam* es por habernos registrado en algunas páginas Web, proporcionando nuestros datos para poder acceder a sus servicios.

Veamos qué tipos de *spam* podemos encontrar:

- ***Spam* comercial:** Suele ser el que más recibimos en nuestro correo electrónico y en ellos, normalmente, intentan vendernos productos a un precio más bajo e incluso algunos productos ilegales.
- **Rumores o bulos:** Este tipo de *spam* también es muy común. Reciben el nombre de mensajes en cadena, donde éstos contienen una historia, normalmente emotiva, para que sea enviado a otros usuarios. Casi siempre, en este tipo de mensajes encontramos la típica frase "**Envía este mensaje a 10 personas o tendrás 7 años de mala suerte**". ¡No lo os creáis, es mentira!

- ***Spam* en los *blogs*:** Al igual que los correos electrónicos, también existen comentarios, que se encargan de vender algún producto o redirigirnos a otra Web, aunque ésta no tenga nada que ver con el tema tratado en el *blog*.
- ***Spam* fraudulento:** Es el tipo de *spam* más peligroso y recibe el nombre de *phishing*, del cual hablaremos enseguida.

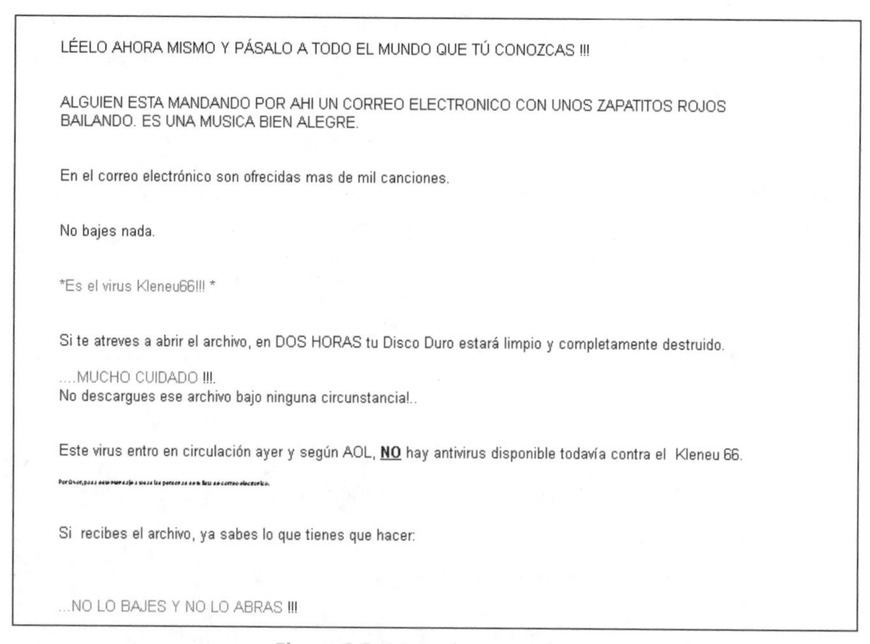

LÉELO AHORA MISMO Y PÁSALO A TODO EL MUNDO QUE TÚ CONOZCAS !!!

ALGUIEN ESTA MANDANDO POR AHI UN CORREO ELECTRONICO CON UNOS ZAPATITOS ROJOS BAILANDO. ES UNA MUSICA BIEN ALEGRE.

En el correo electrónico son ofrecidas mas de mil canciones.

No bajes nada.

*Es el virus Kleneu66!!! *

Si te atreves a abrir el archivo, en DOS HORAS tu Disco Duro estará limpio y completamente destruido.

....MUCHO CUIDADO !!!.
No descargues ese archivo bajo ninguna circunstancia!..

Este virus entro en circulación ayer y según AOL, **NO** hay antivirus disponible todavía contra el Kleneu 66.

Si recibes el archivo, ya sabes lo que tienes que hacer:

...NO LO BAJES Y NO LO ABRAS !!!

Figura 6.7. *Mensajes en cadena.*

> *¡Estad muy atentos, y cuidado con estos tipos de mensajes! Aunque algunos puedan parecer inocentes, en realidad no lo son.*

¡Hablemos ahora del *phishing*! Es muy importante conocer y saber en qué consiste, ya que es uno de los mayores delitos que se cometen en la red.

¿Qué es el *phishing*? Este método consiste en el robo de información personal (claves, cuenta bancaria, número de la tarjeta de crédito, etc.) a través de la falsificación de páginas conocidas, como puede ser el caso de un banco. De esta forma, el usuario ingresa los datos en un sitio de confianza cuando, en realidad, éstos son enviados a otras personas totalmente ajenas a ello.

El principal objetivo del *phishing* es suplantar identidades de usuarios con el fin de robarles datos personales y bienes.

Para identificar un correo de *phishing*, veamos algunas de sus características:

- Usa el nombre de organizaciones conocidas.
- El correo electrónico simula ser de la compañía en cuestión.
- El cuerpo del correo incluye el logotipo de la compañía u organización.
- Dicho correo nos pide ingresar algún tipo de información que, en realidad, ya posee.
- El mensaje incluye un enlace.

El sitio Web al cual nos envía el enlace no sólo falsifica el logotipo, sino también la estructura, imágenes, tipo de letra y colores de la página original.

¡Esto os ayudará a saber cómo identificar un correo de *phishing*!

También es importante prestar atención a la dirección de correo electrónico y a la URL del sitio Web. Pongamos de ejemplo a PayPal, una empresa que permite la transferencia de dinero entre los usuarios que tengan correo electrónico. Si, por ejemplo, su dirección real es paypal@paypal.es, un correo con *phishing* podría utilizar una dirección similar, como puede ser paypal@paypals.es ¡Es muy importante fijarnos en todos los detalles!

En el caso que dudéis si realmente es un correo con sorpresa o no, contactad con vuestra entidad financiera u organización correspondiente para aclarar la situación.

No sólo podemos encontrar el *phishing* en la red, existen otras formas de realizarla, ¡cuidado!

- **Llamada telefónica:** Similar al sistema empleado con el correo electrónico, donde esta vez, en vez de usar un equipo, utilizan el teléfono. ¡Cuidado a quién le dais vuestros datos!
- **SMS:** El usuario recibe un SMS solicitando datos personales.
- **Correos electrónicos y páginas Web:** Como hemos explicado anteriormente, consiste en la imitación de una página Web o de un correo electrónico, donde su finalidad es solicitar al usuario cierta información que, supuestamente, ya poseen.

¡Os contaremos un truco para poder navegar de forma segura por Internet!

Los navegadores (nosotros hablaremos de los más conocidos) poseen una opción en la que podemos acceder a cualquier página Web proporcionando nuestros datos personales, pero éstos no quedan guardados, por lo que nadie puede acceder a ellos. Es decir, se realizarán visitas "privadas" sin dejar rastro. ¡A ver cómo se hace!

- Tanto en Internet Explorer como en Mozilla Firefox, podemos hacerlo presionando las teclas **Control-Mayús-P**.
- En Chrome, podéis acceder presionando las teclas **Control-Mayús-N** (véase la figura 6.8).

Para finalizar, os dejamos un par de consejos para que no seáis engañados:

- Nunca respondáis a correos electrónicos en los que soliciten algún tipo de información, como datos personales o contraseñas.
- Introducid siempre la dirección a mano en la barra de direcciones del navegador, para aseguraros de que accedéis correctamente al sitio.

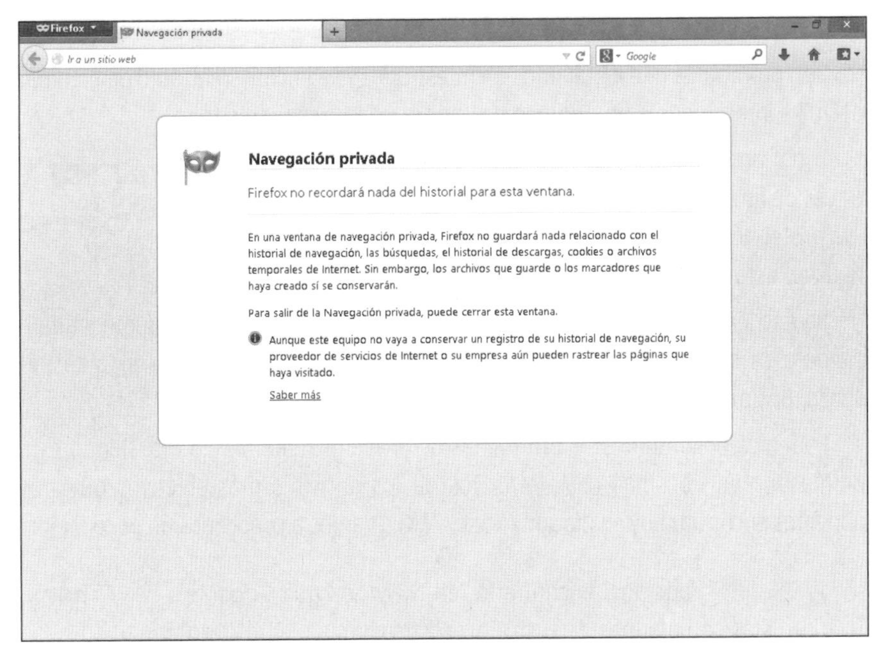

Figura 6.8. *Navegación privada a través del navegador Firefox.*

ANTIVIRUS Y CORTAFUEGOS

¡Aquí llega la solución a las infecciones informáticas! Al igual que existen medicinas para mejorar nuestra salud cuando estamos enfermos, también existen métodos de protección para nuestros ordenadores. Existen dos tipos:

- **Método de protección activo:** Se realiza a través de los antivirus y de los cortafuegos. Estos programas se encargan de que nuestro ordenador esté protegido de forma automática.
- **Método de protección pasivo:** Este método se realiza de forma manual y consiste en realizar copias de seguridad para una recuperación en caso de que hubiera una infección y pérdida de datos.

¡Empecemos con los antivirus! ¿Qué es un antivirus?

Son programas que instalamos en nuestro PC y se encargan no sólo de eliminar posibles infecciones, sino que además nos ayudan a prevenirlas.

Estos programas tienen una base que actualizan diariamente a través de Internet, en la cual se encuentran todos los virus existentes y la protección necesaria para eliminarlos. La mayoría de los antivirus realizan esta acción automáticamente.

Se encuentra siempre en funcionamiento, protegiendo nuestro equipo y analizándolo en busca de posibles infecciones y, en el caso de encontrar algo sospechoso, nos avisa de inmediato.

Podemos encontrar estos programas de forma gratuita o de pago, siendo esta última una versión más completa. Dos de los antivirus más efectivos que nos podemos encontrar hoy en día son Avast y AVG. ¡Vamos a conocerlos un poco mejor!

1. **Avast:** Podemos encontrarlo en `www.avast.com/es-ww/index`. ¡Éstas son algunas de sus características!

    - Bloquea los virus y el *Spyware*.
    - Compras y banca en línea seguras.
    - Ejecuta programas peligrosos de forma segura.
    - Protege sus datos personales.
    - Detiene el molesto *spam*.
    - Bloquea los fraudes de *phishing*.

Figura 6.9. *Logo del antivirus Avast.*

2. AVG: Podemos encontrarlo en `http://free.avg.com/ww-es/homepage`. ¿Qué características tiene este antivirus?

   - Detecta y detiene los virus y las amenazas.
   - Descarga e intercambio de archivos con seguridad.
   - Detiene los virus de mensajería instantánea.
   - Mantiene el correo electrónico protegido.
   - Protección cuando se realizan compras y operaciones bancarias.
   - Protección de los datos personales.

Figura 6.10. *Logo del antivirus AVG.*

Ambos programas son realmente efectivos en sus versiones gratuitas. ¡Totalmente recomendables! Recordad: es muy importante instalar un antivirus en nuestro PC para tenerlo protegido de las amenazas que se encuentran en Internet.

Otra forma de proteger nuestro PC es a través del cortafuegos (*firewall*). Un *firewall* es una herramienta que comprueba la información procedente de Internet o de una red y, a continuación, bloquea o permite el paso de ésta al equipo, en función de la configuración que hayamos seleccionado. La mayoría de los antivirus poseen uno, aunque Windows 8 trae un *firewall* por defecto. Veamos dónde se encuentra y si está activado o no:

1. En la pantalla **Inicio**, seleccionamos **Panel de control** y haremos clic sobre él cuando aparezca en la lista **Aplicaciones**.
2. Una vez abierto, hacemos clic en **Sistema y seguridad** y luego en **Firewall de Windows** (véase la figura 6.11).

¡Es recomendable tener nuestro *firewall* activado para una mayor protección de nuestro ordenador!

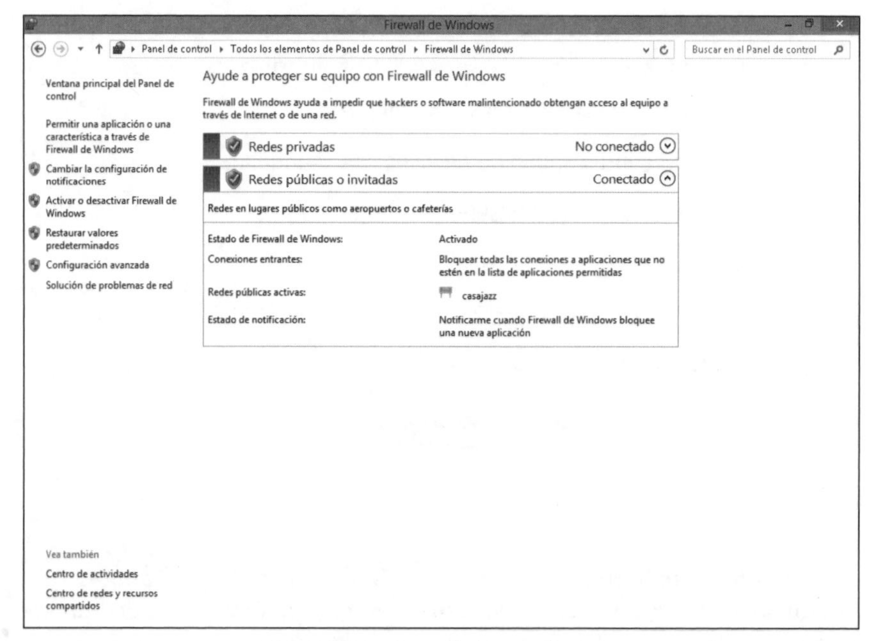

Figura 6.11. *Firewall de Windows 8.*

Recuerda que el firewall no es lo mismo que un programa antivirus. El firewall no puede detectar un archivo infectado por un virus o un correo electrónico engañoso.

Ya hemos finalizado con los métodos de protección activos, pero, si seguís leyendo, un poco más adelante hablamos de las copias de seguridad y cómo hacer una.

Recomendaciones de precaución

Ahora que conocéis los mayores peligros que podéis encontraros por Internet y también la manera de luchar contra ellos, hagamos un breve repaso mediante estas recomendaciones:

- **Mantener vuestro antivirus actualizado:** Comprobad diariamente que la base de virus está actualizada y realizad, al menos una vez por semana, un análisis completo del sistema.
- **Uso de firewall:** Utilizad un *firewall* para evitar las conexiones no deseadas.
- **¡Cuidado con las páginas Web que visitáis!:** Pueden resultar ser páginas falsas o un almacén de virus.
- **No abráis enlaces o archivos sospechosos:** Aunque lo recibáis a través de un amigo/a, ¡puede resultar ser un virus!
- **Correos electrónicos ladrones:** No rellenéis ningún correo electrónico con vuestros datos personales, contraseñas o similares. En tal caso, contactad directamente con la entidad, empresa o página Web.

Ahora que estáis bien informados sobre el mundo de los virus, ¡cuidad vuestro PC con cariño para que no caiga enfermo!

Consejos para tener una red Wi-Fi segura

Para recordar un poco, una conexión Wi-Fi es aquélla que no utiliza cables para establecer dicha conexión entre nuestro PC y el *router*. Hoy en día es uno de los métodos más utilizados, ya que nos permite movernos con total libertad, sin depender de cables que nos hagan tropezar.

Cuando contratamos un servicio que nos proporcione Internet, el *router* que nos facilitan está configurado de manera predeterminada, pero esto no quiere decir que dispongamos inmediatamente de una conexión segura. ¿Queréis algunos consejos para que esto no sea así? ¡Prestad atención!

- **Cambiar la clave Wi-Fi inicial del *router*:** Las claves que vienen por defecto son bastante vulnerables y fáciles de descifrar. La nueva clave, aparte de que la debéis recordar, por supuesto, es recomendable que sea larga y completa, incluyendo letras, números y signos. ¡Cuanto más difícil, mejor!
- **Ocultar el nombre de nuestro SSID:** El SSID es el identificador de nuestra red, es decir, el nombre que aparece en la lista de redes inalámbricas detectadas (por ejemplo, WLAN_XXX). Ocultando esta información lograremos que nuestra red no aparezca en dicha lista, pero, ¡cuidado! Eso no significa que sea imposible de detectar.
- **Usar contraseñas con cifrado WPA:** El cifrado WEP para las contraseñas es más débil que el WPA, siendo este último muy vulnerable. Al elegir la contraseña en las opciones de configuración del *router*, podréis ver este tipo de cifrado, siendo recomendado el WPA2.
- **Utilizar un *firewall*:** Si nuestro *router* nos ofrece un *firewall*, sería conveniente activarlo. De esta forma, pondremos otra barrera más para acceder a nuestra red Wi-Fi.

Si, esos consejos están muy bien, pero ¿cómo accedemos a la configuración de nuestro *router*? ¡Os enseñamos cómo! Las instrucciones que os enseñamos a continuación son de un modelo de *router* en concreto, pero generalmente todos suelen ser muy parecidos. Lo primero que debemos saber es la dirección de acceso de nuestro *router*, así que para ello:

1. Hacemos clic con el botón derecho en , situado en la barra de tareas, y seleccionamos Abrir el Centro de redes y recursos compartidos. A continuación, en Conexiones, hacemos clic sobre el nombre de nuestra red y se abrirá el cuadro mostrado en la figura 6.13.
2. Haremos clic en el botón Detalles... y nos mostrará toda la información sobre la conexión de red. A nosotros simplemente nos interesa la dirección que indica en Puerta de enlace predeterminada.

Figura 6.13. *Estado de conexión de la red inalámbrica.*

3. Introducimos dicha dirección (por lo general, suele ser 192.168.1.1) en la barra de direcciones de nuestro navegador y pulsamos **Intro**.
4. Nos aparecerá un cuadro de **Identificación requerida**, donde tendremos que rellenar los campos **Nombre de usuario** y **Contraseña**, los cuales encontraremos en el manual de instrucciones o, en su defecto, en un CD facilitado por el fabricante.

Normalmente son 1234 para el usuario y 1234 para la contraseña, aunque podéis probar también con admin en ambos campos.

5. Una vez dentro, veremos una ventana similar a la mostrada en la figura 6.14. Identificaremos en el menú la opción ***Wireless*** (es decir, Wi-Fi) y a continuación haremos clic en **Security**.
6. ¡Ya somos libres de configurar nuestra contraseña y el tipo de encriptación, entre otros! Recordad hacer clic en el botón **Apply** (Aplicar) para guardar los cambios realizados.

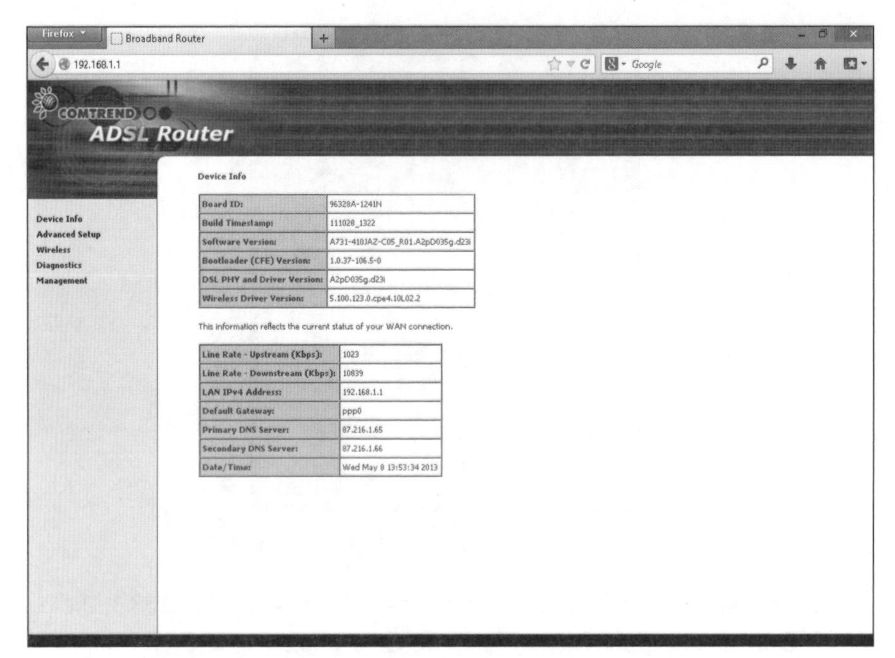

Figura 6.14. *Ventana de configuración para configurar nuestro Wi-Fi.*

Ahora, ¿qué pasa si anteriormente nuestro PC guardó la contraseña antigua y queremos introducir la nueva? Es necesario borrar la configuración de la red para que, cuando nos conectemos de nuevo, solicite la contraseña. ¡Seguid los pasos!

1. Como hicimos antes, hacemos clic en [icono] y hacemos clic con el botón derecho sobre nuestra red.
2. Seleccionamos la opción **Olvidar esta red**.

¡Ya está! Al conectarnos de nuevo a la red, ésta nos solicitará la nueva contraseña.

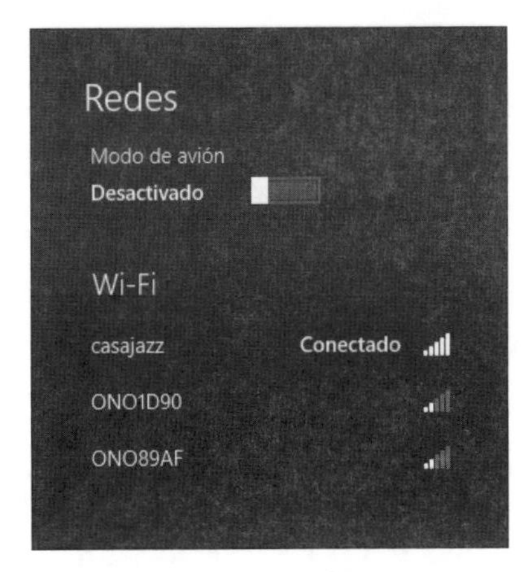

Figura 6.15. *Redes en Windows 8.*

¿PARA QUÉ SIRVE UNA COPIA DE SEGURIDAD?

Como hemos comprobado, nuestro ordenador está expuesto a diferentes amenazas y, aunque podemos protegerlo, debemos emplear esa famosa frase que dice: "Más vale prevenir que curar". ¿Qué ocurre si un virus elimina todos mis datos personales? ¡Tranquilos! Podéis tener un respaldo de todo ello realizando una copia de seguridad. Normalmente nadie se acuerda de hacerlas, salvo cuando pierde algún archivo importante. Es conveniente realizarlas cada cierto tiempo, para así mantener todos nuestros datos a salvo y en un lugar seguro, fuera de las infecciones que puedan atacar a nuestro ordenador.

Las copias de seguridad pueden realizarse de diferentes maneras, algunas más efectivas que otras. Si lo que queremos es mantener nuestros datos más preciados a salvo, como os hemos contado antes, se deben hacer con cierta periodicidad. Éstas deben incluir los archivos que consideramos más importantes, tales como imágenes, vídeos, facturas, contratos, etc. Se pueden utilizar distintos medios de almacenamiento, como por ejemplo, *pendrives*, tarjetas de memoria, discos duros USB, DVD o incluso en la nube, es decir, en Internet.

HACER UNA COPIA DE SEGURIDAD

Existen diferentes aplicaciones que nos ayudan a realizar copias de seguridad, pero ¿realmente necesitamos instalar una aplicación? ¡Pues no! El propio sistema operativo, ya sea Windows, Mac o Linux en ordenadores o Android, iOS Windows Phone en *smartphones* o tabletas, cuenta con el software necesario para realizar estas copias de seguridad.

No es necesario hacer una copia de seguridad a diario. Es recomendable realizarla una vez al mes o bien cada vez que introduzcamos bastante contenido en nuestro equipo.

Os mostraremos los pasos necesarios para realizar una copia de seguridad desde Windows 8 y, aunque el proceso es diferente al que se llevaba a cabo en Windows 7, no es nada difícil. Así que, ¡vamos allá!

Windows 8 ha incorporado un nuevo sistema para realizar las tareas de copia de seguridad y restauración denominado **Historial de archivos**. El **Historial de archivos** realiza, de forma automática, copias de seguridad de los archivos que se encuentran en sus bibliotecas, contactos, favoritos, Microsoft SkyDrive y en el escritorio. Además, podemos encontrar diferentes versiones de los archivos de un momento determinado.

Lo primero que necesitaremos es una unidad de almacenamiento distinta a la que tenemos en nuestro equipo, por ejemplo, un disco duro externo USB, dispositivo que utilizaremos para el siguiente ejemplo. ¿Ya lo tenéis? ¡Pues empecemos!

1. Conectamos nuestra unidad externa al ordenador y, una vez que el equipo la reconozca, nos situaremos en la pantalla **Inicio**.

Recuerda que para acceder a la pantalla Inicio *basta con presionar la tecla que tiene el símbolo de Windows, normalmente situada al lado de la tecla* Control.

2. Una vez allí, escribimos **Copia de seguridad**, en la parte derecha, nos fijamos cómo en el apartado **Configuración** aparece el número tres. Hacemos clic sobre ella y, en la lista **Aplicaciones**, nos aparecerán tres opciones. Seleccionamos **Guardar copias de seguridad de los archivos con el Historial de archivos** (véase la figura 6.16).

Figura 6.16. *Guardar copias de seguridad de los archivos con el Historial de archivos.*

3. Por defecto, la opción **Historial de archivos** viene desactivada, por lo que haremos clic en **Activar** (véase la figura 6.17).

4. Por último, hacemos clic en **Ejecutar ahora**. En ese momento comenzará a realizarse la copia de seguridad y, una vez finalizada, indicará cuándo fue la última vez que se realizó esta tarea.

Una vez finalizado el proceso, en nuestro disco duro se habrá creado una carpeta llamada `Filehistory`. Ésta contiene todos nuestros archivos y, además, la configuración del equipo, como por ejemplo el fondo de escritorio, la configuración de la zona horaria o el tiempo que tarda en aparecer nuestro salvapantallas. Por defecto, Windows 8 crea de manera predeterminada una copia de seguridad cada hora. Esto es algo innecesario, además de que consume muchos recursos en nuestro equipo. Por lo tanto, recomendamos desconectar la unidad externa para no se realice la copia o cambiar el tiempo que tarda en realizarlas.

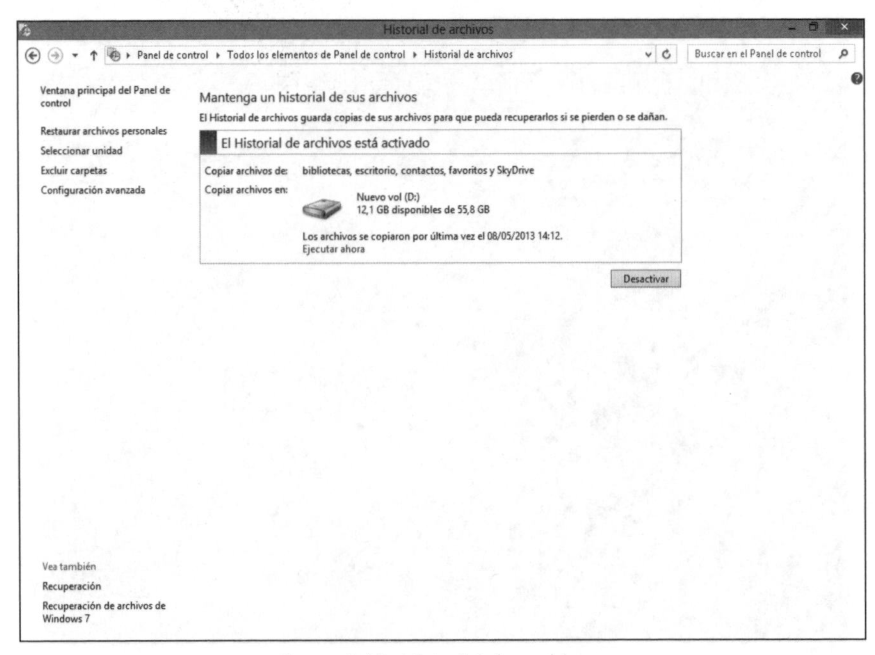

Figura 6.17. *Historial de archivos.*

> *Si seleccionamos en el menú de la izquierda* Configuración avanzada, *podemos elegir la frecuencia con la que deseemos guardar las copias y el tiempo deseado para mantener las versiones guardadas.*

Fijaos si nuestro sistema operativo es inteligente que él solito sabe ya qué dispositivo usamos para realizar las copias de seguridad, así que cada vez que lo conectemos, podremos realizar una nueva copia de seguridad, haciendo únicamente el paso cuatro mencionado anteriormente. Pero ¿qué ocurre si queremos restaurar nuestra copia de seguridad? Los pasos a seguir son similares a los anteriores, por lo que realizaremos los pasos uno y dos. Después seguiremos los siguientes:

1. Una vez en la ventana **Historial de archivos**, en el menú situado en la parte izquierda, hacemos clic en **Restaurar archivos personales**. Nos aparecerá lo que muestra la figura 6.18.

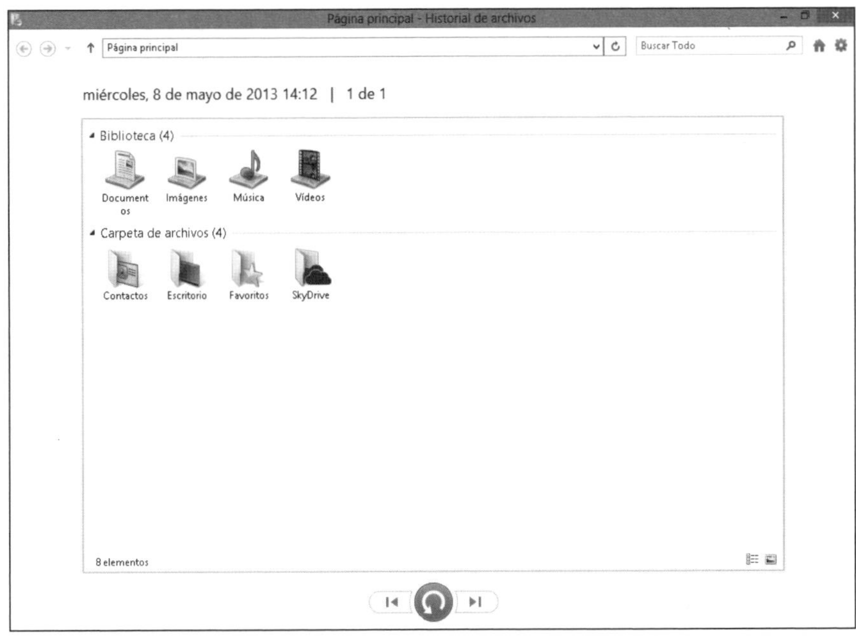

Figura 6.18. *Página principal del Historial de archivos.*

2. Para realizar la restauración, hacemos clic en el botón verde situado en la parte inferior de la ventana y... *voilá*!

Ahora ya sabéis cómo realizar una copia de seguridad y cómo restaurarla, sólo queda... ¡ponerla en práctica!

¿PUEDO RECUPERAR DATOS BORRADOS?

Perder las fotos de cuando vuestro hijo era pequeño, vuestra boda o esas canciones que tanto trabajo os costó encontrar, es algo que no os gustaría que pasara, pero ¿y si pasa? En ocasiones, de manera accidental o por una avería, podemos perder datos importantes y desconocéis si es posible su recuperación. ¡Os contamos el secreto!

Existen algunas empresas dedicadas a la recuperación de datos perdidos o eliminados. El coste de estos procesos es muy elevado, pero, dependiendo de la gravedad de la situación, nosotros mismos podemos recuperar archivos eliminados.

Al eliminar un archivo, el sistema operativo realmente no lo borra del disco duro. Simplemente marca el lugar donde está ubicado ese archivo como espacio libre, esto es lo que hace que sea posible su recuperación. Para que uno o varios archivos puedan ser recuperados, se deben de cumplir los siguientes requisitos:

- El dispositivo donde se encontraban los datos perdidos debe funcionar correctamente.
- Una vez que los archivos han sido eliminados, no debe pasar mucho tiempo hasta la posible recuperación.
- Para aumentar el porcentaje de éxito a la hora de recuperar archivos, si, por ejemplo, hemos eliminado el contenido de un disco duro por completo, debemos evitar almacenar datos nuevos en él antes de iniciar el proceso de recuperación.

Una vez que tenemos claro en qué situaciones podemos intentar recuperar datos borrados, os vamos a enseñar este proceso utilizando la aplicación Recuva. Este software es completamente gratuito y ofrece una solución bastante segura para la recuperación de archivos eliminados accidentalmente. Podemos descargarlo gratuitamente desde `www.piriform.com/recuva`.

Recuva es capaz de recuperar datos borrados de nuestros ordenadores, memorias USB, cámaras digitales, reproductores de Mp3 y prácticamente cualquier medio de almacenamiento. A la hora de instalar el programa, nos dará la posibilidad de escoger idioma, pudiendo optar por el español, lo que nos facilitará bastante el trabajo.

La primera vez que ejecutemos Recuva aparecerá un asistente para realizar el proceso de recuperación, este asistente se puede desactivar para que no aparezca en el próximo inicio. Después de hacer clic en **Siguiente**, debemos escoger el tipo de archivo que queremos recuperar y, una vez decidido y seleccionado, nos preguntará si conocemos la ubicación de dicho archivo. De no ser así, podemos escoger la opción **No estoy seguro**. Por último, nos da la opción de realizar un escaneo profundo. Esta opción se suele seleccionar si los escaneos previos no han sido efectivos, para ello hacemos clic en **Iniciar** y comenzará el proceso (véase la figura 6.19).

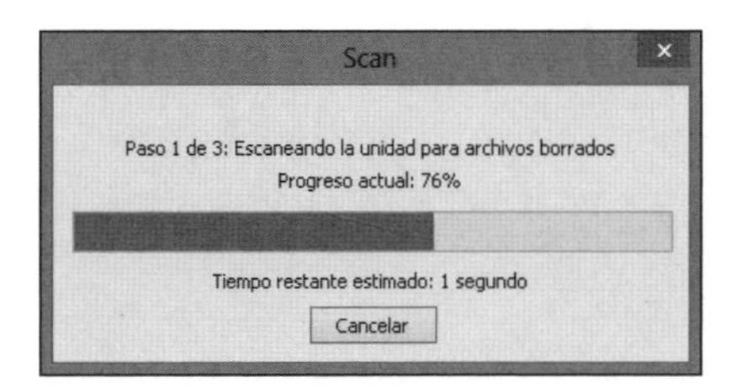

Figura 6.19. *Proceso de recuperación de datos con Recuva.*

Cuando el proceso de recuperación haya finalizado, Recuva nos mostrará un cuadro con todos los archivos disponibles para recuperar, seleccionamos aquéllos que queramos rescatar y hacemos clic en **Recuperar**. Para que la recuperación del archivo sea más rápida y segura, debemos escoger una carpeta diferente a donde estaban anteriormente los archivos.

> *La recuperación de archivos no siempre es posible, por eso debemos realizar copias de seguridad de todos nuestros datos y así evitar posibles pérdidas de información.*

Pues ya hemos llegado al final del capítulo, así que... ¡nos vemos en el siguiente!

Tu PC como centro de entretenimiento

Los ordenadores se han convertido para muchos en dispositivo de entretenimiento, ya que éste no deja de ser un centro multimedia y de ocio con el que podemos entretenernos de muchas maneras sin tener que salir de casa. Además de ser una herramienta de trabajo, un PC también lo podemos utilizar para estar en contacto con nuestros seres queridos, estar al día de lo que ocurre en el mundo y muchas otras tareas, de las cuales vamos a hablar durante el desarrollo de este capítulo.

Comunícate con Skype

Skype es un programa que nos permite comunicarnos por medio de texto, voz y vídeo a través de Internet. Es importante saber que éste fue el sustituto definitivo de la última versión de Windows Live Messenger, que ha dejado de funcionar. A partir de ahora, podremos utilizar la cuenta de Hotmail para iniciar sesión en Skype, es decir, utilizando el mismo nombre de usuario y la misma contraseña.

Para obtener esta aplicación, podemos optar por dos opciones; la primera es buscar Skype en la tienda de aplicaciones de Windows 8 o bien descargar la versión de escritorio desde la Web de dicha aplicación. Nosotros os recomendamos la versión de escritorio, ya que es más sencilla de utilizar y más cómoda a la hora de iniciar y cerrar sesión, así como para el uso de varios usuarios.

Podemos descargar Skype desde aquí: `www.skype.com/es/download-skype/skype-for-computer/`.

Una vez que tengamos instalada la aplicación en nuestro equipo, podemos comenzar a utilizarla. Es muy sencillo y podemos realizar varias tareas, casi todas de manera gratuita.

¿Ya tenéis Skype en vuestro PC? Pues continuemos. Lo primero que debemos hacer es iniciar sesión con nuestro nombre de usuario y contraseña.

¿Qué hacemos ahora? Pues bien, para poder utilizar Skype, necesitamos tener una lista de contactos con los que nos podremos comunicar y para ello haremos uso del buscador que incorpora la aplicación. ¡Veamos cómo se hace!

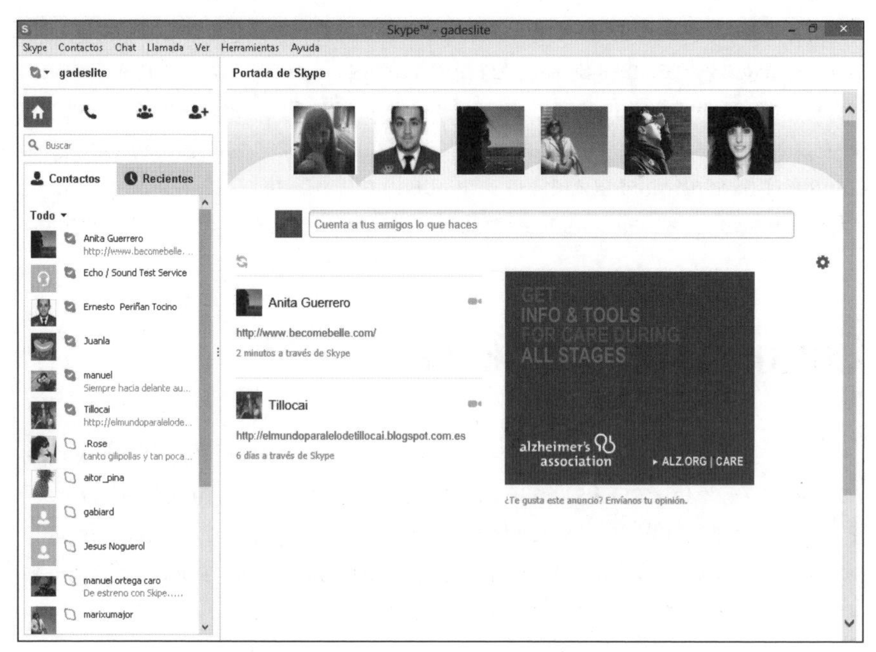

Figura 7.1. *Pantalla principal de Skype, donde aparecerán las actualizaciones de los contactos.*

En el caso de haber iniciado sesión con la cuenta de Hotmail, los contactos que anteriormente estaban en la cuenta aparecerán y continuarán ahora en Skype.

Figura 7.2. *Busca a tus amigos y familiares a través de Skype.*

En la parte superior izquierda de la ventana principal de Skype, encontraremos un cuadro con la palabra **Buscar**. Es ahí donde debemos escribir el nombre de la persona que buscamos o bien su nombre de usuario en el caso de que lo conozcamos. Hacemos clic en **Buscar a todas las personas que estén en Skype** y, en los resultados de la búsqueda, haremos clic sobre dicho usuario.

En la parte superior derecha de la ventana, haremos clic sobre la opción **Añadir a contacto**. Ahora solamente debemos esperar que la otra persona acepte la solicitud de contacto.

¡Ya tenemos gente para comunicarnos a través de Skype! Pero ¿cómo hacemos eso? Veamos de qué manera podemos hacerlo.

La forma más simple de comunicarnos con otro usuario de Skype es mediante chat. Es muy sencillo, tan sólo tenemos que hacer clic sobre un contacto de nuestra lista y comenzar a escribir un mensaje.

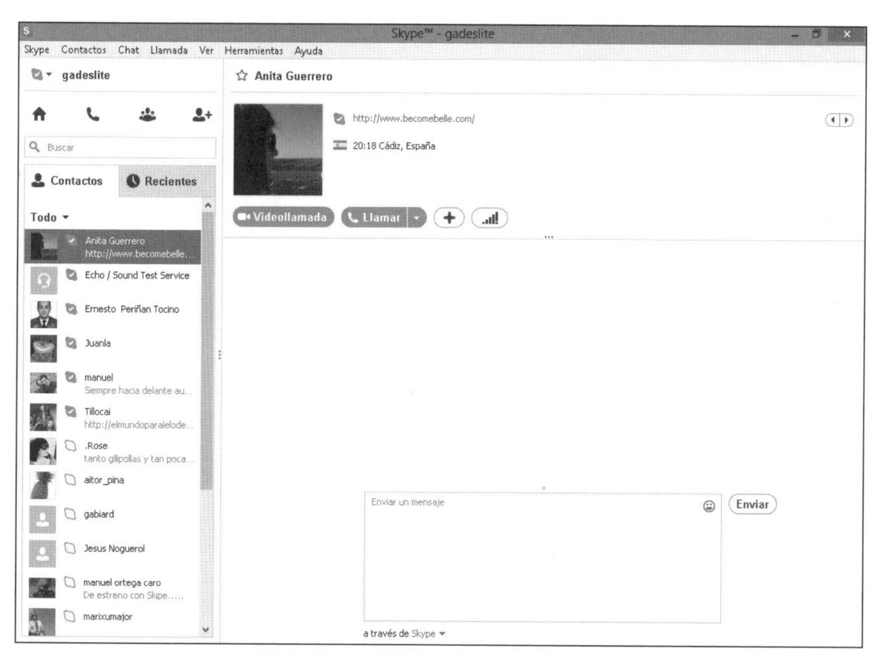

Figura 7.3. *Para poder hablar con un contacto, basta con hacer clic sobre él.*

A través del chat, además de mensajes escritos, podemos enviar emoticonos y archivos de casi cualquier tipo y tamaño.

Los emoticonos son unas pequeñas imágenes muy divertidas que enviamos a través del chat para transmitir estados de ánimo o emociones.

Con Skype, además de comunicarnos mediante el chat, podemos realizar llamadas y éstas pueden ser de tres tipos:

- Podemos llamar a otros usuarios de Skype a través de Internet de manera gratuita, tan sólo debemos disponer de unos altavoces y un micrófono.

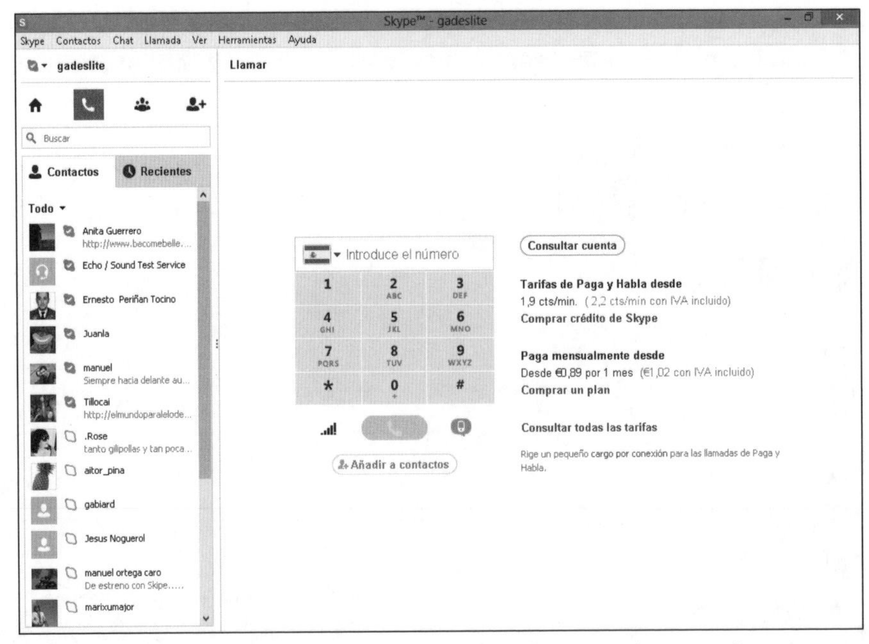

Figura 7.4. *Gracias a las tarifas que ofrece Skype, podemos realizar llamadas telefónicas, tanto nacionales como internacionales.*

- De la misma forma que en el caso anterior, podemos realizar videollamadas, añadiendo imagen mediante una webcam, por lo que la experiencia es mucho más completa.
- Skype puede utilizarse como un teléfono fijo. Podemos realizar llamadas telefónicas con unas tarifas muy interesantes, las cuales debemos contratar previamente desde su propia página Web.

Hacedle una visita al capítulo 9 para saber cómo se configura el audio y el vídeo para que esté todo correcto a la hora de realizar una videollamada.

LAS REDES SOCIALES

Las redes sociales han supuesto una revolución en Internet en nada de tiempo. Cuentan con millones de usuarios y muchos de éstos no pueden dejar de entrar en ellas. Es un medio muy interesante y útil para conocer a personas de todo el mundo, además de compartir parte de nuestras vidas con los demás. Pero algo muy importante que debemos entender es que no podemos confiar en ellas cualquier tipo de información, esto puede llegar a ser bastante peligroso.

Las redes sociales son comunidades virtuales a las que pueden unirse usuarios de todo el mundo para intercambiar gustos, opiniones, *hobbies*, etc. Cada usuario cuenta con un perfil en el cual incluye sus datos personales y, normalmente, una fotografía para que el resto de usuarios lo puedan identificar.

Podemos encontrar redes sociales de diferentes tipos, por ejemplo, orientadas al ámbito profesional, social o una variante de todo ello.

Figura 7.5. *Mediante las redes sociales podemos conocer a personas de todo el mundo.*

Facebook

Facebook es una de las redes sociales más conocidas y utilizadas en el mundo. A finales de 2012 contaba con mil millones de usuarios y está disponible en más de 100 idiomas.

Originalmente, fue creada como un centro de encuentro de alumnos de la Universidad de Harvard, donde creaban eventos tales como conferencias, fiestas o simplemente realizaban quedadas para jugar un partido. Actualmente, esta red social está abierta a cualquier usuario que cuente con una cuenta de correo electrónico.

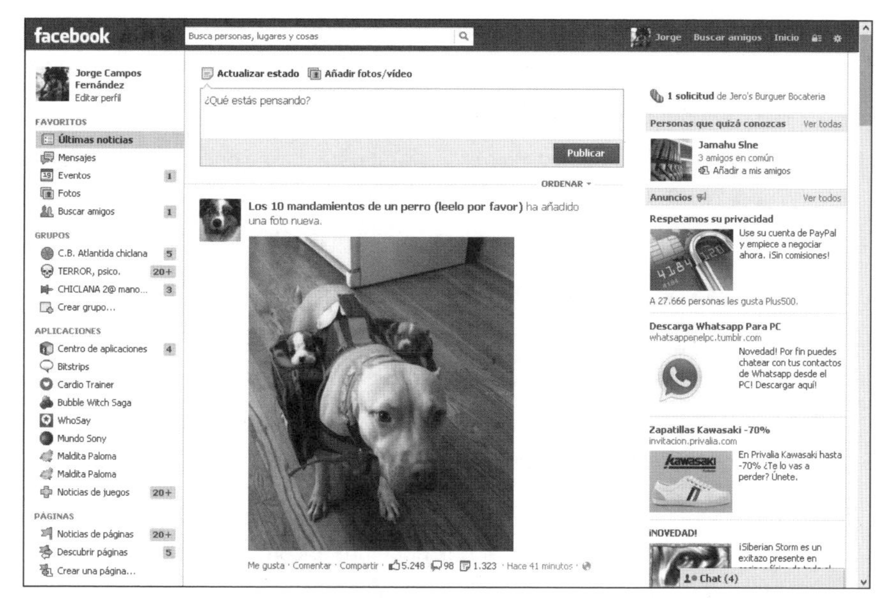

Figura 7.6. *Pantalla principal de la red social Facebook.*

Hasta 2007 no hubo una traducción completa de Facebook al español. Esta traducción fue posible gracias a voluntarios que se encargaron de esta tarea. Para acceder a esta red social visitaremos la dirección Web `www.facebook.es`.

Algunos de los principales servicios que ofrece Facebook son:

- **Lista de amigos:** Podemos agregar a cualquier persona que conozcamos o incluso que queramos conocer. Tan sólo debe estar registrada en Facebook y aceptar nuestra solicitud de amistad. Facebook nos facilita una potente herramienta para buscar personas, lugares o cosas. Es muy útil para buscar aquellas personas con los que queramos retomar el contacto o bien simplemente con aquéllos que deseemos compartir mensajes, fotografías, etc.
- **Chat:** Si entramos en esta red social y en ese momento hay otros amigos conectados, podremos hablar con ellos a tiempo real mediante el chat.

- **Grupos y páginas:** La finalidad de los grupos es reunir personas con intereses comunes, de modo que puedan compartir información sobre ese tema y estar en contacto constante mediante el grupo.

  Las páginas son una herramienta muy útil para dar a conocer, por ejemplo, un negocio. Pueden publicar ofertas y promociones, así como imágenes de interés, dando a conocer de manera fácil la actividad que desarrolla.

- **Muro:** Es el espacio personal en cada perfil de usuario, donde se encuentran las actualizaciones de dicha persona.
- **Botón Me gusta:** Es el símbolo que identifica a Facebook. Se trata de una pequeña imagen de una mano con el pulgar hacia arriba (👍), con el que podemos mostrar, por ejemplo, que nos gusta una fotografía o una publicación de un amigo.
- **Aplicaciones:** Dentro de Facebook podemos encontrar multitud de aplicaciones, algunas simplemente para entretenernos.
- **Juegos:** Cada día lanzan nuevos juegos con los que podemos jugar con nuestros amigos y también con personas de otras partes del mundo. Muchos de los juegos que encontramos en Facebook suelen ser pruebas de habilidad o cuestionarios de preguntas.

> *Podéis consultar la ayuda de Facebook para leer más información sobre el funcionamiento de esta red social: `www.facebook.com/help/?ref=drop`.*

Twitter

Twitter es un servicio de *microblogging*, es decir, permite a sus usuarios enviar y publicar mensajes breves con un máximo de 140 caracteres. Su funcionamiento es similar al de un *blog*, con el cual podemos redactar mensajes muchos más extensos. En principio, el servicio de mensajería adoptaría el nombre de Twittr, pero finalmente se lanzó en julio de 2006 bajo el nombre de Twitter. Hasta noviembre de 2009 no apareció la versión completa en español, pero por aquel entonces ya contaban con una gran cantidad de usuarios. Actualmente, cuenta con unos 500 millones de usuarios.

La mayoría de los mensajes que se publican en Twitter pasan desapercibidos. Habitualmente son conversaciones o mensajes entre amigos o conocidos, pero no sólo se habla de cosas superfluas; Twitter es un importantísimo canal de información. Gracias a esta red social, sus usuarios han conocido importantes noticias en primicia, mucho antes de ser publicadas por cualquier otro medio de información.

Figura 7.7. *Perfil de Twitter del jugador de baloncesto Stephen Curry.*

También tenemos la oportunidad de conocer un poco mejor a personas que admiramos. Muchos personajes famosos son usuarios de este servicio y, gracias a ello, podemos estar al tanto de todo lo que hacen, pues es habitual que publiquen fotografías de los sitios a los que asisten o de las actividades que realizan.

Podemos acceder a través de esta dirección: `https://twitter.com`.

¿Qué acciones podemos realizar?

Además de enviar mensajes cortos llamados *tweets*, tenemos la oportunidad de responder directamente a cualquier mensaje que nos interese, marcarlos como favoritos o retuitearlos, es decir, reenviar dicho mensaje para que las personas que nos sigan puedan leerlo.

Twitter cuenta con cuatro pestañas fundamentales:

- **Inicio**: En esta pestaña se mostrará el llamado *timeline*. Aquí veremos todos los mensajes enviados por los usuarios que hayamos añadido anteriormente, incluidos los nuestros.
- **Conecta**: Cada vez que una persona nos mencione (utilizando vuestro nombre de usuario añadiendo @ delante, como por ejemplo, `@luisgb`), marquen como favorito o retuiteen algunos de nuestros mensajes, estas notificaciones aparecerán en la pestaña **Conecta**.
- **Descubre**: Encontraréis todo el contenido que os interese en relación con los usuarios que formen parte de vuestra cuenta de Twitter.
- **Cuenta**: Podremos ver nuestro perfil, incluyendo el número de *tweets* escritos, las personas que seguimos y que nos siguen. Se muestra un *timeline* sólo con los mensajes que nosotros mismos hemos enviado.

Figura 7.8. *Pestañas fundamentales en la red social Twitter.*

¿Queréis saber más sobre esta interesantísima red social? Visitad `https://support.twitter.com` *y conoceréis todos los secretos.*

Al contrario que Facebook, en Twitter podemos seguir a una persona sin que ésta necesite hacer lo mismo.

YOUTUBE

Aunque no fue creada como tal, Youtube se ha convertido en una de las redes sociales más conocida en todo el mundo. Nació en el año 2005 como un portal donde se podía compartir vídeos entre amigos, pero, una vez que salió a la luz en Internet, los usuarios empezaron a subir vídeos, que eran visualizados por muchísimas personas de todo el mundo.

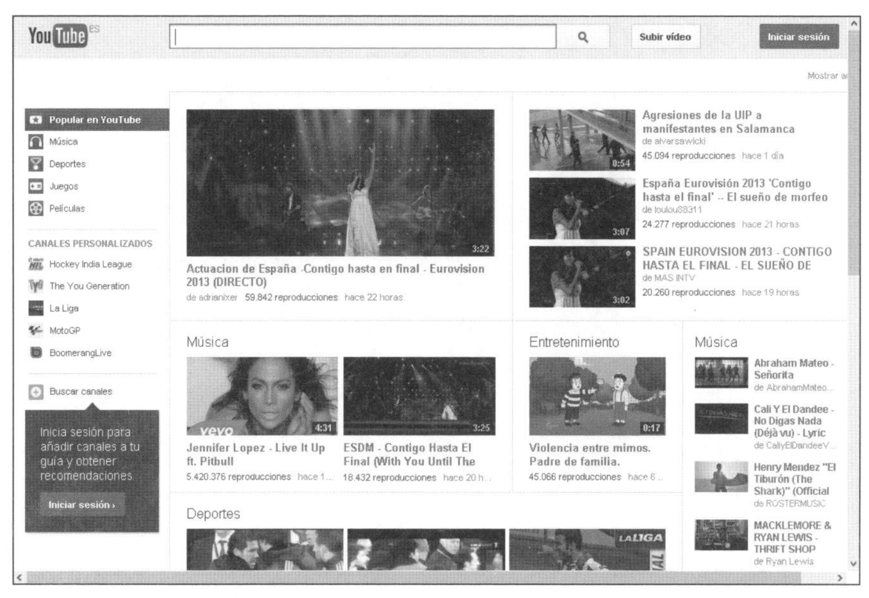

Figura 7.9. *Youtube es un portal donde podemos alojar nuestros vídeos para que sean visualizados por otros usuarios.*

Actualmente, pertenece a la empresa Google y está disponible en más de 50 idiomas. La dirección Web para acceder a ella es `www.youtube.com`.

En Youtube podemos encontrar casi todo tipo de contenidos, desde tutoriales, *trailers* de películas hasta videoclips de música. Muchos de sus usuarios crean sus propios vídeos para enseñar al resto cómo hacer alguna tarea o simplemente mostrando sus dotes artísticos.

Otras redes sociales

Además de las redes sociales nombradas anteriormente, existen otras muchas entre las que podemos destacar:

- **Tuenti** (`www.tuenti.com`): Es una red social española dirigida principalmente a adolescentes y/o universitarios.
- **LinkedIn** (`http://es.linkedin.com`): Red profesional orientada a los negocios.
- **Google+** (`https://plus.google.com`): Nombrada anteriormente, se puede acceder a ella simplemente creando una cuenta de correo en Gmail.
- **Instagram** (`http://instagram.com`): Con esta red social podremos compartir fotos pudiendo aplicar efectos fotográficos como filtros, marcos, colores retro y *vintage*. También podremos compartir las fotografías en otras redes sociales como Facebook y Twitter.

La mayoría de las redes sociales cuentan con aplicaciones destinadas a smartphones y tabletas, sin importar el sistema operativo de éstos.

Prensa digital

La prensa digital es quizás el medio más inmediato, rápido y económico al que podemos recurrir para informarnos de la actualidad diaria. Podemos leer de manera gratuita prácticamente cualquier periódico del mundo, con las ventajas que esto conlleva, como por ejemplo evitar un gasto innecesario de papel, podemos leer tantos periódicos como queramos sin gastar dinero ni ocupar espacio y no tenemos que salir de casa para adquirirlo. El periodismo digital o cibernético es una tendencia que se ha sido tomada por un gran número de periodistas, de manera que Internet se ha convertido en el medio principal para publicar sus contenidos, pues proporciona un flujo constante de información. Todos los diarios de tirada nacional (por ejemplo, *El diario de Cádiz*) poseen una página Web donde publican noticias de interés general. Algunos periódicos digitales proporcionan servicios de suscripción *on-line* con el que podremos recibir diariamente todas las noticias a través de nuestro correo electrónico.

Domingo, 19 de mayo de 2013 | GALERÍAS GRÁFICAS | CANALES | BLOGS | PARTICIPACIÓN | HEMEROTECA | BOLETÍN | ESPECIALES | MAPA WEB

diariodecadiz.es TECNOLOGÍA

PORTADA | CÁDIZ | ANDALUCÍA | DEPORTES | ACTUALIDAD | TECNOLOGÍA | CULTURA | TV | SALUD | OPINIÓN | SEMANA SANTA | CARNAVAL

TECNOLOGÍA | SUPLEMENTO TECNOLÓGICO | VIDEOJUEGOS

RSS

Diario de Cádiz. Noticias de Cádiz y su Provincia > Tecnología > Tecnología

TECNOLOGÍA

Pie de foto

Google reinventa las búsquedas

La compañía rediseña de nuevo Google+ y anuncia mejoras en el retoque de fotos, el almacenamiento de archivos y Gmail, entre otras novedades.

Google presenta su servicio de suscripción para escuchar música en internet

TECNOLOGÍA

España, fuera de la lista de EEUU de países permisivos con la piratería

Sin embargo, apunta en su informe 'Special 301' su interés por trabajar con España para "reforzar" la legislación actual y anuncia un análisis de los pasos dados hasta ahora. Wert reafirma el "compromiso" del Gobierno.

TECNOLOGÍA

Pie de foto

EEUU obliga a una empresa a retirar de su web el manual de una pistola imprimible en 3D

España fue junto con EEUU el país donde más veces se descargaron los planos para la pistola bautizada como 'Liberator', capaz de disparar como un arma normal y casi completamente de plástico.

3 comentarios

TECNOLOGÍA

¿Qué hacer si acosan a nuestros hijos en internet?

Los agresores suelen proceder del círculo de la víctima e incluso se conocen muy bien entre sí. Más allá de la forma que

Figura 7.10. *Diario de Cádiz.*

Existe prensa digital que únicamente realiza publicaciones digitales, es decir, éstos no cuentan disponibles con una edición en papel, por lo que sus gastos de distribución son menores, informando de manera muy rápida y centralizada gracias a Internet.

Os recomendamos dos sitios Web donde podréis estar al tanto de las noticias más importantes:

- *20 minutos* (`www.20minutos.es`).
- *Libertad digital* (`www.libertaddigital.com`).

Si disponéis de un *smartphone* o una tableta, ¡estáis de suerte! Existen dos aplicaciones en las que podemos ver minuto a minuto las mejores noticias de cada medio de información. Estas aplicaciones aprenden de nuestros gustos, es decir, si visitamos a menudo noticias sobre el equipo de baloncesto Chicago Bulls, siempre situará esta clase de noticias al principio.

Ambas aplicaciones están disponibles tanto para iOS como para Android y son **Pulse News** y **Flipboard**.

Libros electrónicos

Al igual que los periódicos, los libros en formato físico están dejando paso a los lectores de libros electrónicos. Estos dispositivos son similares en tamaño y forma a las tabletas, pero no disponen de las mismas características que éstas, pues tan sólo nos servirán para leer *eBooks* o libros electrónicos. Los *eBooks* o libros electrónicos son formatos digitales de los mismos libros que podemos encontrar en las librerías o centros comerciales. Estos libros suelen tener formato ePub o PDF, así que podemos leerlos tanto en una tableta como en un lector de libros digitales. Las pantallas de los lectores de libros están diseñadas con tinta electrónica, por lo que la lectura es perfecta en casi cualquier condición de luz.

La tinta electrónica es una tecnología que permite crear pantallas planas, tan delgadas como un papel, y con una flexibilidad que permite que se puedan enrollar.

Si disponemos de una tableta o *smartphone*, también podemos disfrutar de los *eBooks*. Por ello, os vamos a mencionar una par de aplicaciones muy interesantes, ambas gratuitas, con las que podremos leer y descargar *eBooks*.

- **Aldiko:** Es una aplicación en la que nos podemos encontrar los libros electrónicos perfectamente ordenados por título, autor o género. Disponible para Android.

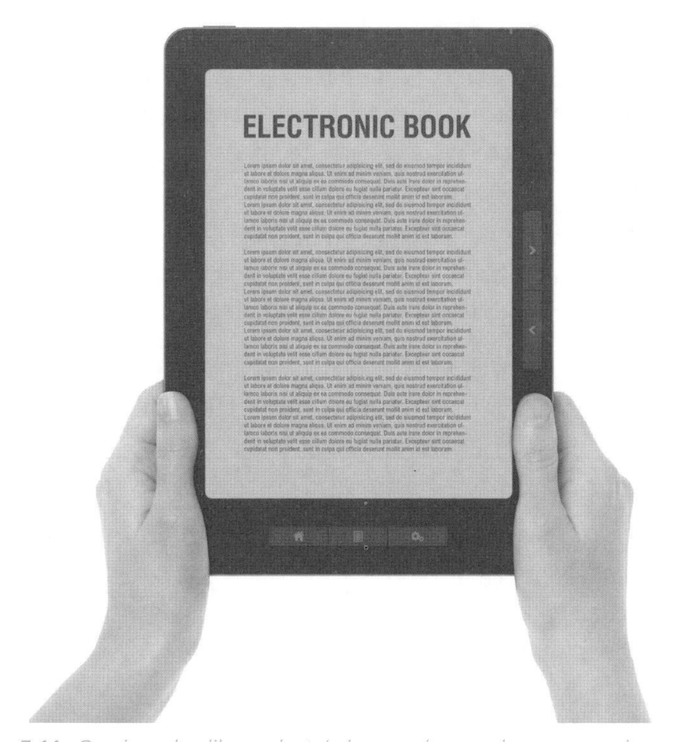

Figura 7.11. *Gracias a los libros electrónicos podemos ahorrar espacio en casa.*

- **iBooks:** Incluye la tienda iBookstore, desde donde podréis descargar los éxitos editoriales más recientes o sus clásicos favoritos en cualquier momento. Disponible para iOS.

Crea tu propio blog

La prensa digital y los *blogs* son muy similares, pero en este último los protagonistas y encargados de la información que se alberga en ellos puede ser cualquier persona. Para crear un *blog*, tan sólo necesitáis tener ganas y algunas ideas sobre lo que escribir, el resto es muy sencillo.

¿Qué es un *blog*? Es una especie de diario digital, en el cual cada uno escribe de manera periódica sobre uno o varios temas en concreto. Cada una de las publicaciones de un *blog* se llaman entradas y éstas pueden ser comentadas por sus visitantes o lectores. Como norma general, todas las entradas de un *blog* suelen estar categorizadas y ordenadas cronológicamente, de manera que, si queremos buscar alguna de una fecha o tema determinado, resulte mucho más fácil.

La estructura de un *blog* es bastante sencilla, puede contener muchas características adicionales, pero veamos cuáles son las más comunes.

- **Cabecera o *header*:** Es lo primero que vemos al entrar. Ahí deberá estar nuestro logo junto con el nombre del *blog*. Es un elemento importante, pues es lo primero que verán nuestros futuros visitantes.
- **Columna principal:** En la columna principal se coloca el contenido de nuestro *blog*. Encontraremos un resumen de cada una de nuestras entradas, mostrándose en orden cronológico, de la más reciente a la más antigua. Cada entrada destacará por su título y contará habitualmente con la fecha, hora y nombre del creador.

Figura 7.12. *Ejemplo de un blog.*

- **Entradas:** Al hacer clic sobre el título de la entrada en la columna principal, entraremos en la entrada completa, donde podremos ver todo el contenido de la misma, así como los comentarios de los usuarios.
- **Comentarios:** Dentro de las entradas, dispondremos de un campo para poder dar nuestra opinión sobre lo que ha escrito el autor.
- **Tags:** Son palabras situadas en la parte inferior de cada entrada que identifican el tema tratado en ésta. Al hacer clic sobre estas etiquetas, el *blog* nos mostrará una serie de entradas que tengan que ver con esa temática.
- **Sidebar:** También conocida como barra lateral, en ella podemos encontrar datos sobre el autor del *blog*, una lista de las entradas más visitadas, enlaces a las redes sociales del autor, entre otras muchas.
- **Pie de página:** Podemos encontrarnos con que algunos *blogs* que no cuenten con este elemento, situado en la parte inferior. Suele estar compuesto por publicidad, *copyright*, alguna imagen representativa del *blog* y enlaces de interés.

Ahora que ya sabemos qué es un *blog* y de qué está compuesto, ¿os animáis a crear vuestro propio ciberdiario?

Si queréis crear vuestro *blog* personal, debéis saber que hay varias alternativas, pero, dentro de ellas, nos encontramos con dos que son totalmente gratuitas y funcionan muy bien.

- **Blogger:** Ya hablamos de él en el apartado "Servicios de Google" del capítulo 4. Lleva funcionando desde el año 2000 y cuenta con una gran cantidad de usuarios por todo el mundo. Su funcionamiento es sencillo y cuenta con muchísima documentación para ayudar a la creación, mantenimiento y actualización del servicio. Lo más interesante es que ofrece el servicio de almacenamiento de manera gratuita, es decir, no necesitamos contratar un servidor para poder alojar nuestro *blog*. Con Blogger tendremos todo listo para funcionar una vez nos registremos. Para registrarnos y comenzar a elaborar nuestro *blog* debemos acceder a `www.blogger.com/home`. Si disponemos de una cuenta de Gmail, no es necesario registrarse, directamente podremos acceder y comenzar a crear nuestro *blog* (véase la figura 7.13).

- **Wordpress:** Es un servicio algo más avanzado que Blogger, orientado a desarrolladores y usuarios de nivel medio, pero esto no significa que sea difícil crear un *blog* con Wordpress. Al igual que Blogger, también ofrece un servicio gratuito para crear nuestro *blog*, pero tiene muchas limitaciones, por lo que si queremos un servicio más completo debemos pagar por ello. Existe una alternativa para no tener que gastar dinero en crear nuestro *blog* con Wordpress.

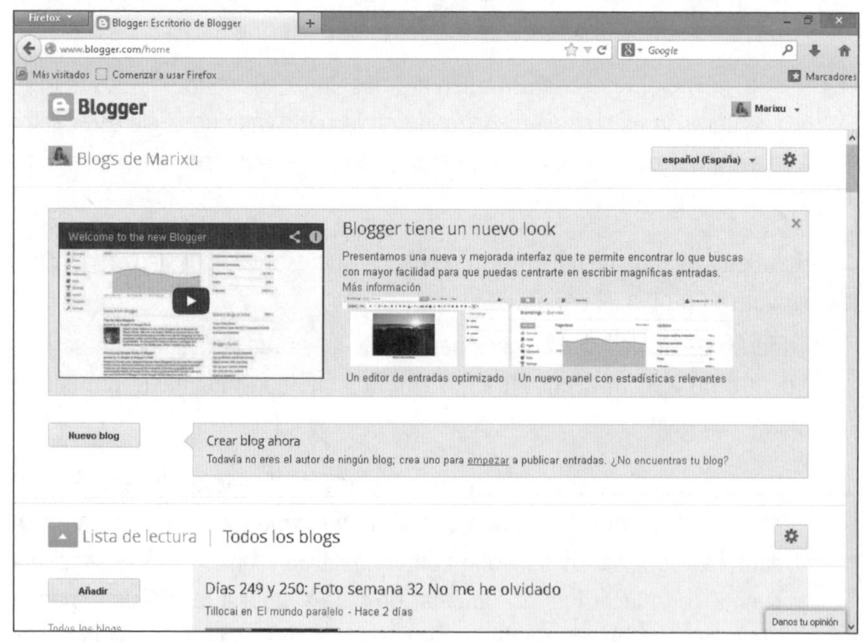

Figura 7.13. *Portada de la página Web de Blogger.*

En Internet hay multitud de servicios de alojamiento gratuito, de esta manera, una vez que nos movamos con más soltura por Internet, podemos contratar nuestro servidor para poder instalar Wordpress en él. Puede que todo esto os suene un poco a chino u os resulte muy complicado, pero este servicio cuenta con gran cantidad de documentación de ayuda, que nos guiará en todo el proceso de creación.

Para acceder a los servicios de Wordpress, deberemos acceder a `www.es.wordpress.com` y registrarnos para comenzar a crear nuestro pequeño espacio en la Red.

Figura 7.14. *Portada de la página Web de Wordpress.*

También podemos encontrarnos con el concepto video-blog o vblog, utilizando vídeos en vez de texto para crear las distintas entradas.

Tus fotografías y vídeos

Gracias a las fotografías podemos capturar los momentos más importantes de nuestras vidas, conservándolos para siempre. Con el nuevo entorno de Window 8 y su aplicación llamada **Fotos**, podremos ver todas nuestras fotografías tanto si están en nuestro ordenador, en Facebook o SkyDrive. ¡Nuestras fotos estarán siempre con nosotros!

¿Tenéis vuestras fotos desordenadas y queréis tenerlas todas en un mismo lugar? ¡Eso será fácil! Lo primero que haremos será acceder a la aplicación **Fotos**. Para ello, nos situaremos en la pantalla **Inicio** y escribiremos **Fotos** y, a continuación, haremos clic en ella (véase la figura 7.15).

Figura 7.15. *La aplicación Fotos de Window 8 nos permite ver todas nuestras fotografías desde un mismo lugar.*

Con esta aplicación podremos explorar y buscar nuestras fotografías. También tenemos la opción de iniciar sesión en sitios como Facebook para que las fotos de la red social aparezcan aquí. ¡Es el lugar perfecto!

Cuando queráis buscar una fotografía en concreto en vuestro ordenador, podéis usar el acceso **Buscar**. Esto funciona mejor si habéis cambiado el nombre a vuestros archivos de fotos por algo significativo que recordéis.

- Una vez dentro de la aplicación Fotos, colocáis el puntero del ratón en la esquina inferior derecha de la pantalla donde aparecerá un menú.
- En él encontraréis la opción **Buscar** y, para hacer uso de ella, haréis clic para luego escribir el nombre de la imagen que deseamos buscar.

Es normal que, cuando tenemos fotos que nos gustan, lo que queremos es compartirlas con los demás, ¡también lo podemos hacer desde aquí!

Figura 7.16. *Acceso para buscar las fotografías de manera rápida.*

Siguiendo el procedimiento anterior, en vez de hacer clic en **Buscar**, lo haremos en la opción **Compartir**. Esto lo haremos una vez seleccionada la imagen elegida.

Para compartir una imagen por correo debemos tener agregada la cuenta con anterioridad.

Podéis descargar la Galería fotográfica *y usarla para organizar, buscar, editar y compartir vuestras fotos. Podéis hacerlo desde aquí:* `http://windows.microsoft.com/es-es/windows-live/photo-gallery#photogallery=overview`.

¡Pasamos a los vídeos! Al igual que las fotografías, podemos tener acceso a nuestros vídeos a través de la aplicación **Vídeo**. Ya sabéis cómo acceder a ella, ¿verdad? ¡Claro! Igual que hemos hecho con la aplicación **Fotos**. Una vez abierta, tendremos que desplazarnos a la parte izquierda, donde nos esperan nuestros vídeos. Podemos realizar las funciones **Compartir** y **Buscar** de la misma manera que hemos explicado anteriormente.

Para reproducir vuestro vídeo, podéis navegar en la **Biblioteca de vídeos** y hacer clic dos veces en el archivo correspondiente o, si ya tenéis abierta la aplicación **Vídeo**, podemos hacerlo desde allí. Deberíais ver los vídeos que ya están guardados en la **Biblioteca de vídeos** y poder hacer clic para reproducirlos (véase la figura 7.17).

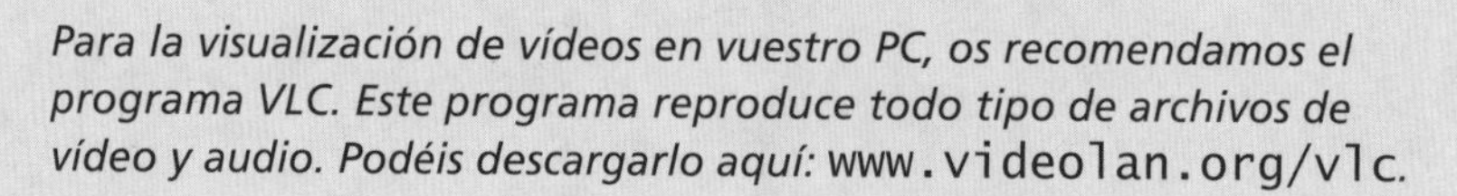

Para la visualización de vídeos en vuestro PC, os recomendamos el programa VLC. Este programa reproduce todo tipo de archivos de vídeo y audio. Podéis descargarlo aquí: `www.videolan.org/vlc`.

Música y películas

La música es la banda sonora de nuestras vidas. Con Windows 8, podemos escuchar lo que nos gusta, elegir entre millones de canciones y álbumes o añadir música a nuestra biblioteca. ¡Todo ello con la aplicación **Música**! Cuando no estéis seguros de lo que queréis escuchar, dejad que esta aplicación os ayude a crear listas de reproducción basadas en lo que más os gusta.

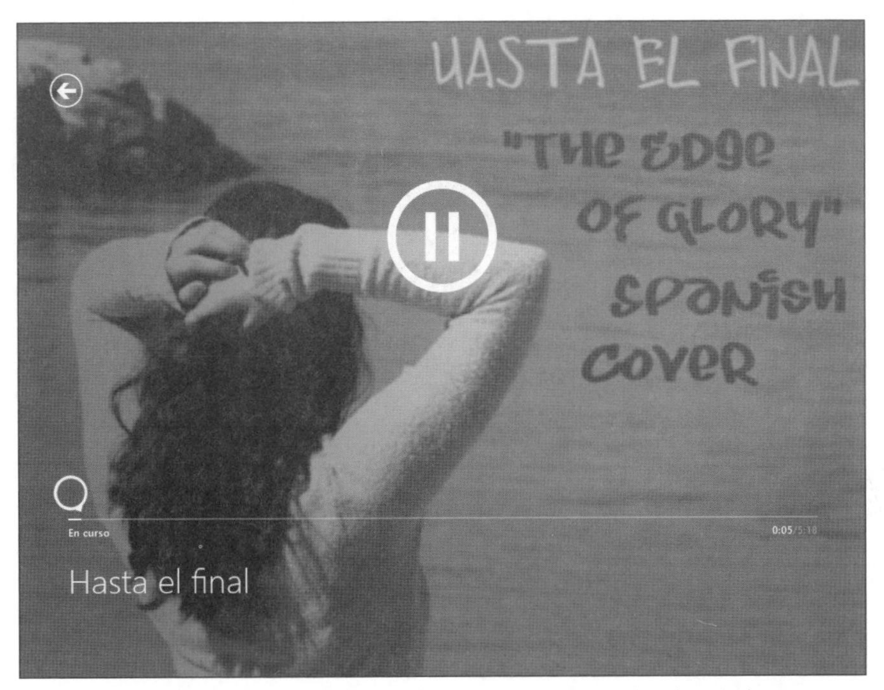

Figura 7.17. *Vídeo reproduciendo desde la aplicación Vídeo de Windows 8.*

¡Seguid los siguientes pasos!

- Una vez dentro de la aplicación Música, utilizad la opción de búsqueda (ya sabéis, colocando el puntero del ratón en la esquina inferior derecha) para buscar las canciones, álbumes o artistas que más os interesen. Si no tenéis claro que buscar, podéis hacer clic en Tienda Xbox Music y explorar los últimos lanzamientos o lo más popular del momento.
- ¿Encontrasteis lo que buscabais? ¡Muy bien! Ahora tan sólo tenéis que hacer clic sobre la canción o álbum deseado y seguir las instrucciones para comprarlo.

En la aplicación Música nos aparecerán todas las compras realizadas mediante el procedimiento anterior; tan sólo debemos desplazarnos hasta lo que queramos escuchar y hacer clic sobre ello. Comenzará a reproducirse de inmediato.

Figura 7.18. *Tienda de música de la aplicación Música.*

> *Para reproducir nuestra música también podemos utilizar el programa* Reproductor de Windows Media, *que viene incorporado de serie en los sistemas operativos Windows.*

¿Os gustan las películas románticas o, quizás, las de acción? Gracias a la aplicación **Vídeo**, que seguro que ya la conocéis del apartado anterior, podemos disfrutar de la gran pantalla en nuestro ordenador.

Desde **Vídeo** podemos comprar o alquilar las películas más recientes o adquirir los programas de televisión que más nos gusten, pudiéndolos reproducir directamente desde la propia aplicación. También podemos disfrutar *streaming* instantáneo en alta definición. ¡No tendremos que esperar a que se descarguen, podemos verlas inmediatamente!

Seguid estos pasos:

- Una vez dentro de la aplicación, debéis desplazaros para ver opciones de películas y televisión. Podéis examinar las diferentes categorías o bien buscar una película o un programa de televisión específico.
- Elegid vuestra película o programa, haced clic para comprar o alquilar y, luego, seguid las instrucciones que aparecerán en la pantalla, ¡así de simple!

A la hora de escoger películas o series, fijaos bien si estáis seleccionando formato de alta definición o definición estándar. Los vídeos en alta definición cuentan con una gran calidad de imagen, pero son archivos que ocupan mucho espacio en el disco duro. Si no contáis con demasiado espacio libre, deberíais optar por la definición estándar.

> *Si optáis por la opción de compra, siempre tendréis disponible esa película o serie en vuestra* Biblioteca de vídeos, *para poder disfrutar de ellas tantas veces como queráis.*

Podemos reproducir las películas y programas adquiridos desde la misma aplicación, desplazándonos hasta la parte izquierda y haciendo clic en el vídeo deseado.

Mantén
tu PC a punto

Con el uso diario de nuestro PC, el sistema operativo se va deteriorando. Esto es debido a varios factores, como por ejemplo la instalación de programas, que van creando poco a poco multitud de archivos en el sistema o simplemente el hecho de navegar por Internet crea unos archivos temporales, que, si no los eliminamos, se van acumulando en nuestro disco duro.

Como cualquier máquina, los ordenadores necesitan un mantenimiento para que su rendimiento se mantenga intacto. Estamos hablando de mantenimiento de *software*, por supuesto. El sistema operativo Windows 8 cuenta con las herramientas suficientes para mantener un correcto mantenimiento de nuestro sistema, pero siempre podemos encontrar programas dedicados a ello, ya sea de forma gratuita o de pago.

PRIMEROS PASOS PARA MANTENER NUESTRO ORDENADOR EN BUEN ESTADO

Son muchas las medidas que podemos tomar para que nuestro PC funcione como el primer día, pero no todas son igual de necesarias ni efectivas, por eso, como en cada capítulo, vamos a mostraros lo más fácil y efectivo.

Si disponemos de Internet, debemos estar al día con las actualizaciones del sistema operativo. Estas actualizaciones nos pueden ayudar a mejorar la seguridad y el rendimiento del equipo. La encargada de realizar esta tarea es Windows Update, que realiza un chequeo de las actualizaciones instaladas en nuestro sistema y las compara con los resultados de una base de datos donde se encuentran todas las actualizaciones. En el caso de encontrar una actualización disponible para nuestro sistema, nos lo comunicará y su función dependerá de la configuración que tengamos establecida.

Para acceder a Windows Update, nos situamos en la pantalla **Inicio** y escribimos **Panel de control**. Una vez que aparezca en la lista **Aplicaciones**, hacemos clic en él. A continuación hacemos clic en **Sistema y seguridad>Windows Update**.

Windows Update está configurado por defecto para descargar e instalar las actualizaciones automáticamente, aunque esto es totalmente configurable. Para cambiar la configuración, una vez abierto Windows Update, haremos clic en **Cambiar configuración**, situado a la izquierda de la pantalla.

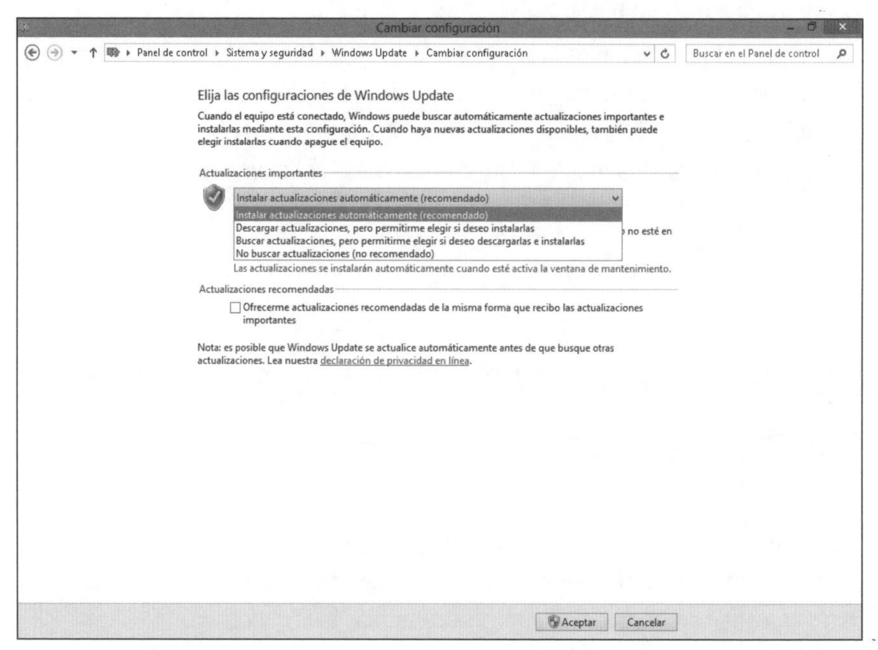

Figura 8.1. *Lista de opciones para configurar las actualizaciones del sistema.*

En esta ventana (véase la figura 8.1) podremos cambiar la configuración, teniendo cuatro opciones entre las que elegir:

- **Instalar actualizaciones automáticamente**: Es la opción más recomendable. Windows Update descargará automáticamente las actualizaciones siempre que exista una conexión a Internet. Una vez descargadas, éstas se instalarán también de manera automática.

- **Descargar actualizaciones, pero permitirme elegir si deseo instalarlas**: Al igual que en la opción anterior, las actualizaciones se descargan de forma automática, pero en este caso seremos nosotros los que decidiremos qué actualizaciones instalaremos y cuándo.
- **Buscar actualizaciones, pero permitirme elegir si deseo descargarlas e instalarlas**: En esta opción, el sistema se encarga de buscar actualizaciones, pero no las descarga ni las instala, a no ser que nosotros se lo autoricemos.
- **No buscar actualizaciones**: No es recomendable escoger esta opción, pues estaremos expuestos a las vulnerabilidades que vayan surgiendo en nuestro sistema operativo.

En el caso de que no tengáis claro qué opción escoger, elegid siempre la opción recomendada.

Centro de actividades

El Centro de actividades es el lugar adecuado para informarnos de las condiciones en las que se encuentra nuestro equipo en cuanto a seguridad y mantenimiento. Nos avisa mediante notificaciones de la existencia de problemas relacionados con el software o hardware. Estas notificaciones las veremos representadas en la parte inferior derecha de nuestra pantalla mediante el icono .

Para abrir el Centro de actividades podemos hacer clic en el icono y luego elegir Abrir Centro de actividades, o también podemos acceder desde Panel de control>Sistema y seguridad>Centro de actividades.

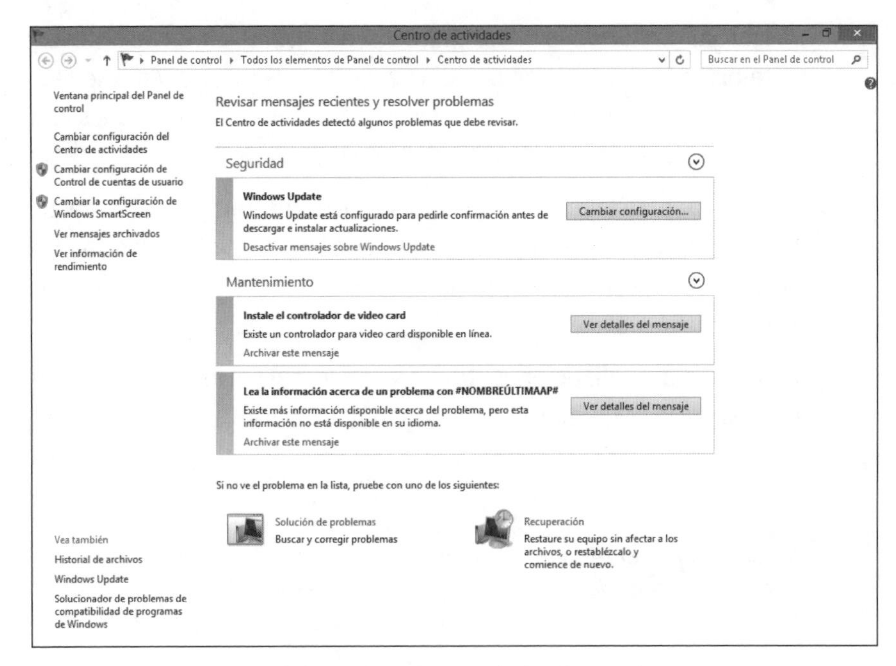

Figura 8.2. *Centro de actividades de Windows.*

Podemos ver que las advertencias están clasificadas en dos grupos, **Seguridad** y **Mantenimiento**. El **Centro de actividades** nos proporcionará los consejos y soluciones más apropiados para poder tener nuestro PC debidamente actualizado, suficientemente seguro y en un perfecto estado de mantenimiento.

También podemos modificar su configuración haciendo clic en **Cambiar configuración del Centro de actividades** (parte izquierda de la pantalla), donde podremos activar o desactivar los mensajes que Windows nos enviará en el caso que existan problemas.

¿Windows nos envía demasiadas notificaciones cada vez que realizamos un cambio en el equipo? Si hacemos clic en **Cambiar configuración de Control de cuentas de usuario**, situada justo debajo de la opción anterior, podemos seleccionar el grado de notificación. Simplemente deslizando la barra de desplazamiento, podremos elegir el que más nos convenga.

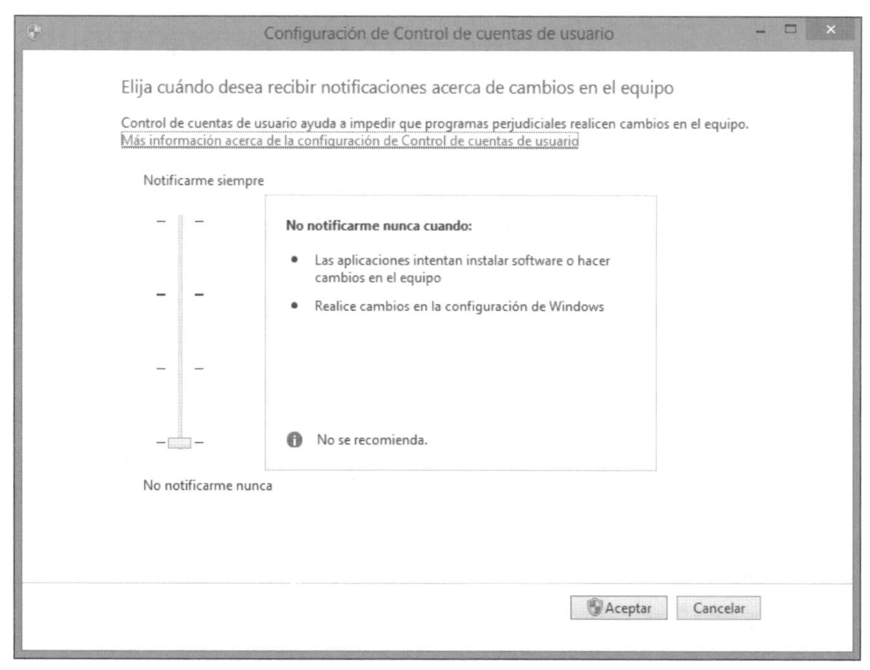

Figura 8.3. *Configuración de las notificaciones acerca de los cambios del equipo.*

HERRAMIENTAS DEL SISTEMA

Windows 8 dispone de herramientas propias para poder solventar problemas de rendimiento que vayan surgiendo en nuestro ordenador. Hay una larga lista de herramientas, pero muchas de ellas están destinadas a usuarios avanzados o a tareas de red, por lo que nos vamos a centrar en las que usaremos de manera periódica.

Para poder acceder a la lista que cuenta con todas las herramientas, debemos acceder a **Panel de control>Sistema y seguridad>Herramientas administrativas**. Las herramientas que vamos a utilizar para el mantenimiento de nuestro PC son el **Desfragmentador de disco** y el **Liberador de espacio en disco**. ¡Veamos cada uno de ellos!

DESFRAGMENTAR EL DISCO DURO

Con el tiempo, almacenamos cientos de archivos en nuestro equipo y esto hace que nuestro disco duro se fragmente. No entendéis lo que queremos decir, ¿verdad? Es muy sencillo. Cuando explota una granada, ésta suelta varios fragmentos que se dispersan y alejan unos de otros. Esto mismo ocurre con nuestro disco duro; a medida que vamos almacenamos datos, se van creando espacios "en blanco" entre los sectores del disco duro. Al desfragmentar un disco duro, conseguimos que la información se ordene dentro de nuestro disco, de tal manera que cada archivo se acomoda en un área continua y sin espacio entre ellos. Este proceso es recomendable hacerlo cada cierto tiempo, aunque esto dependerá de la cantidad de datos que almacenemos. Aun así, no hay duda de que aumentará la vida de nuestro disco duro.

Para realizar la desfragmentación de disco, nos situamos en **Herramientas administrativas** siguiendo la ruta mencionada anteriormente. Una vez allí, hacemos clic en **Desfragmentar y optimizar unidades** y se abrirá un cuadro de diálogo como el que muestra la figura 8.4.

Para comprobar si nuestro disco necesita ser desfragmentado, seleccionaremos en disco en cuestión y haremos clic en Analizar. Una vez analizado, el programa nos dirá si es o no necesario la desfragmentación.

Lo habitual será que nuestra unidad se encuentre con un bajo porcentaje de fragmentado, debido a que las unidades se optimizan por defecto de manera automática semanalmente. Podremos cambiar esta configuración haciendo clic en Cambiar configuración.

El tiempo del proceso variará dependiendo del tamaño del disco y de la cantidad de espacio fragmentado. No es conveniente descargar archivos ni eliminarlos durante este proceso y, por supuesto, no es nada recomendable apagar nuestro equipo antes de que finalice, pues podemos dañar la estructura de archivos de nuestro disco duro, así como llegar a perder información.

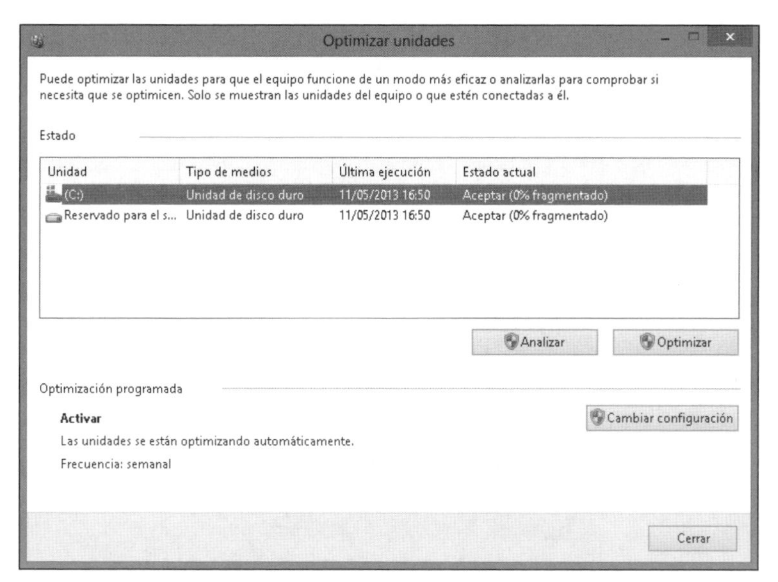

Figura 8.4. *Pantalla principal del Desfragmentador de disco.*

Aparte de los discos duros, también podemos desfragmentar memorias USB o SD, entre otros.

Liberar espacio en nuestros discos duros

El simple hecho de navegar por Internet almacena en nuestros equipos una cantidad de archivos que no sirven para nada, ¡y todo sin que nos demos cuenta! Todo esto se une a los archivos que descargamos de Internet y luego eliminamos enviándolos a la papelera. Aunque la vaciemos, siguen quedando residuos. Las instalaciones de los programas y aplicaciones también crean archivos de un solo uso.

En resumen, en nuestro disco duro hay mucha información que no vamos a utilizar nunca más. Todo esto puede hacer que nuestro equipo funcione de manera más lenta, por lo que ¡vamos a encargarnos de ellos ahora mismo!

Para realizar esta tarea deberemos volver a **Herramientas administrativas** y, esta vez, haremos clic en **Liberador de espacio en disco**.

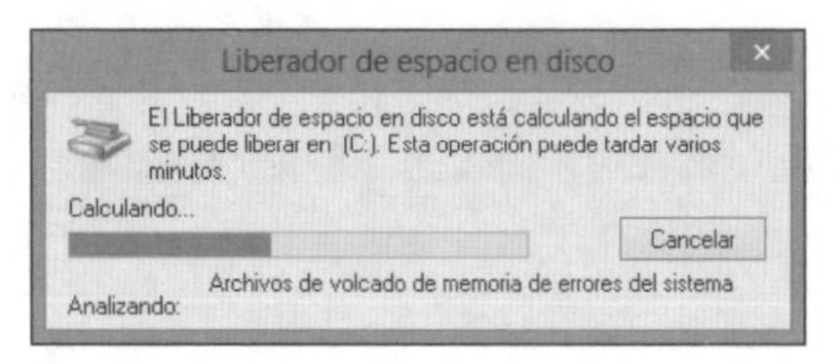

Figura 8.5. *Cálculo del espacio que se puede liberar en nuestro disco duro.*

La herramienta analizará nuestro disco duro en busca de elementos innecesarios que sean eliminables. Una vez finalizado el análisis, nos mostrará una lista de elementos para que seleccionemos aquéllos que queramos eliminar.

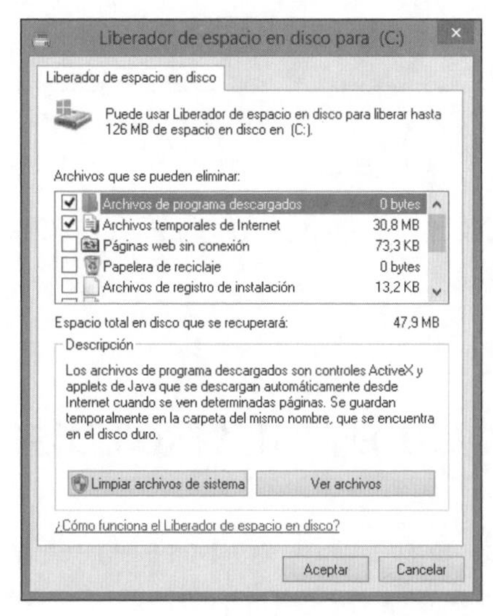

Figura 8.6. *El programa nos informa de los archivos que podemos eliminar y la cantidad de espacio que ocupan.*

En nuestro caso, podemos liberar hasta un total de 129 MB de nuestro disco duro, que, si lo pensamos bien, es el espacio que ocupa casi tres discos de música. ¡Pensad lo importante que puede ser liberar espacio en nuestro disco duro cada cierto tiempo!

Otros consejos sobre mantenimiento

Por último, para despedirnos de este capítulo, vamos a indicaros una serie de consejos para ayudaros con el mantenimiento de vuestros equipos, para que funcionen de la mejor manera posible:

- Comprobar la autenticidad de los programas que descargamos, muchas veces no son lo que buscamos y su funcionamiento se centrará en consumir recursos.
- A la hora de instalar un programa o aplicación, leer muy bien cada paso de la instalación para así evitar la instalación de software adicional, el cual normalmente es malicioso y nos llenará el equipo de molesta publicidad.
- Si instalamos un programa que no nos gusta o simplemente lo dejamos de usar, es importante desinstalarlo. Ahorraremos espacio en el disco duro y recursos en el equipo.
- Podemos optar por instalar programas como CCleaner, un software gratuito que se encarga de optimizar el funcionamiento de nuestro equipo, eliminando archivos innecesarios y limpiando los datos que almacena Internet, entre otras muchas tareas. Podéis descargarlo aquí desde la dirección `www.piriform.com/ccleaner`.
- ¡Cuidado con lo que descargas! Muchos archivos multimedia, como películas, música, imágenes o similares, pueden intentar instalar software adicional como condición para poder realizar la descarga. Desconfiad siempre, ya que no suele ser un software muy útil, y una vez más atacará directamente a los recursos de vuestro ordenador.
- Como último consejo, tratad de realizar las tareas descritas en los anteriores apartados con cierta constancia, al menos una vez al mes. ¡Vuestro ordenador funcionará mucho mejor!

Qué le falta a mi ordenador

Cuando nos familiarizamos con el funcionamiento de nuestro PC, despierta en nosotros nuevas inquietudes, ¡queremos seguir avanzando y aprender a hacer nuevas tareas! Para que esto ocurra, en algunas ocasiones, necesitaremos nuevos periféricos o dispositivos adicionales. A continuación, os mostramos qué tipo de dispositivos pueden ayudarnos a mejorar o completar nuestro ordenador en función a nuestras necesidades.

WEBCAM

Webcam o cámara Web es un periférico de entrada, que podemos darle diferentes usos, aunque se utiliza generalmente para realizar videoconferencias. Cuando nos adentramos en el mundo de Internet, nos damos cuenta de la cantidad de posibilidades que éste nos ofrece, como, por ejemplo, poder comunicarnos con nuestros familiares o amigos aunque se encuentren lejos de nosotros, ya sea en otra ciudad o en otro país.

Figura 9.1. *Webcam.*

Gracias a las cámaras Web, podemos mantener el contacto con ese amigo que se fue a vivir al extranjero o con esos familiares que cambiaron de ciudad. Simplemente contando con una conexión a Internet y una de las múltiples aplicaciones que nos ofrecen para realizar videollamadas, ¡podemos ver las caras de esas personas que no vemos tan a menudo!

Las más actuales cuentan con un micrófono incorporado de gran sensibilidad, por lo que también podemos realizar grabaciones de audio, o incluso utilizarlas para realizar llamadas telefónicas a través de Internet. Si hemos adquirido un portátil recientemente, es muy probable que cuente con una webcam y un micrófono, pero, en el caso de los ordenadores de sobremesa, lo más seguro es que tengamos que adquirir estos periféricos de manera independiente.

Podemos encontrar cámaras Web que no tengan micrófono incorporado, pero ¡no pasa nada! Podemos adquirir este dispositivo independientemente.

Cada vez cuentan con sensores de mayor calidad, lo que nos posibilita hacer nuevas tareas con ellas, como grabar vídeos con muy buena calidad para poder compartirlos en Internet o realizar fotografías sin tener que hacer uso de una cámara digital. ¡Cámara y acción! A la hora de instalar nuestra webcam en el ordenador, gracias a la evolución de los sistemas operativos, éstos la reconocen al instante e instalan automáticamente los controladores para que así podamos utilizarla de manera rápida y correcta. En el caso de que posea un CD de instalación, es conveniente utilizarlo y seguir los pasos y las instrucciones de instalación.

El tipo de conexión más utilizado en la actualidad por este tipo de dispositivos es el USB. Recordad que hablamos sobre él en el capítulo 2.

Una vez instalada, ¡ya podemos disfrutar de una videoconferencia! Una de las aplicaciones de mensajería instantánea más conocidas, como hemos visto anteriormente, es Skype.

¡Veamos cómo podemos realizar una videollamada a través de esta aplicación! A través de Skype, podremos configurar los parámetros tanto de vídeo como de audio.

1. Abrimos el programa Skype.
2. Hacemos clic en **Herramientas>Opciones**.

3. Primero configuraremos el sonido y, para ello, seleccionaremos en el menú **Configuración de sonido**. En el cuadro mostrado en la figura 9.2, podemos ver la configuración de la entrada de audio (micrófono), de la salida (altavoces o auriculares) y el tono de llamada. Estos parámetros son ajustables, pero podemos elegir la opción de que el propio programa lo configure automáticamente.

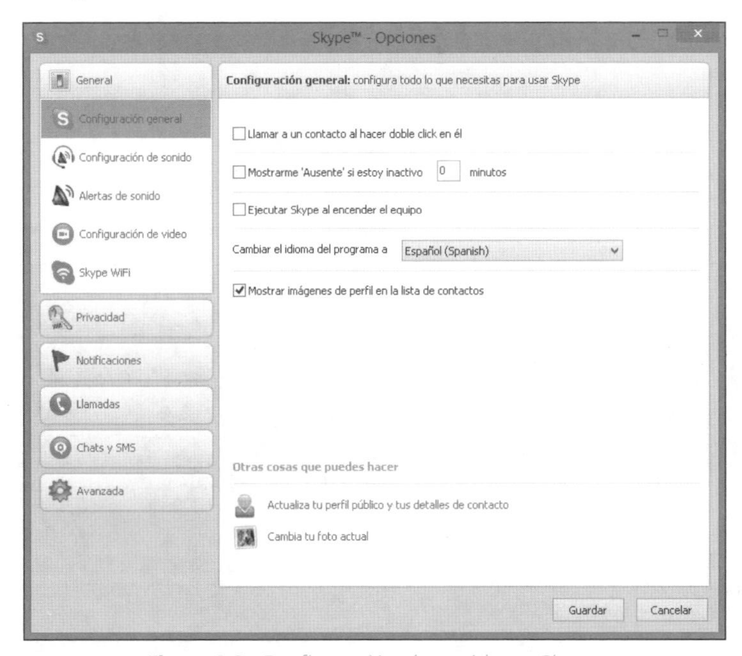

Figura 9.2. *Configuración de sonido en Skype.*

4. Una vez configurado, hacemos clic en **Guardar**.

5. Pasemos a configurar el vídeo. Para ello, realizamos nuevamente el paso 2, pero esta vez seleccionamos **Configuración de vídeo**. Una vez configurado, hacemos nuevamente clic en **Guardar**.

Ya tenemos configurado el vídeo y el sonido, así que sólo nos falta... ¡realizar una videollamada! Es muy fácil, ya que sólo debemos hacer clic en el botón **Videollamada** dentro de la ventana de la persona con la que deseamos hacerla (véase la figura 9.4).

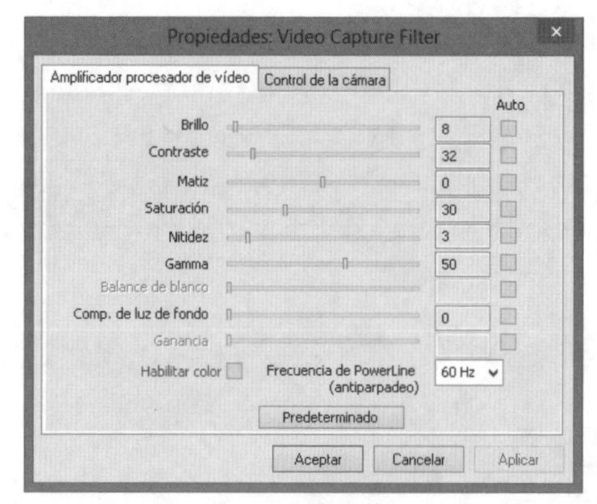

Figura 9.3. *Propiedades que podemos configurar en nuestra webcam.*

Figura 9.4. *Realizando una videollamada realizada a través de Skype.*

Los pasos anteriores están realizados con la aplicación de Skype para escritorio de Windows. Para acceder a esta versión, entramos en `www.skype.com/es/`*, hacemos clic en* Descargas *y, una vez allí, hacemos clic en* **Más información sobre Skype para escritorio de Windows**.

¿Habéis visto qué fácil es? ¡Disfrutad de vuestras videoconferencias y no perdáis el contacto con vuestros familiares y amigos!

¿IMPRESORA O MULTIFUNCIÓN?

A muchos de nosotros nos gustaría tener una oficina en casa, pero no tenemos muy claro qué es lo que necesitamos para ello. Un periférico imprescindible para poder hacer tareas de oficina es la impresora. Existen diferentes tipos, pero nos vamos a centrar en los tres principales que nos podemos encontrar.

- **Impresora:** Es el estilo más básico, es decir, sólo realiza la función de imprimir documentos, ya sean escritos o bien fotografías y gráficos. Podemos encontrar tres tipos de impresora: de inyección de tinta, ¡los famosos cartuchos!, láser o térmicas. Las impresoras térmicas se utilizan sobre todo en los comercios para realizar la impresión de tickets. Las impresoras láser, a pesar de que son más caras y sus consumibles también, proporcionan un mayor rendimiento, pudiendo imprimir hasta 2.500 copias con un solo consumible frente a las 200-300 de las impresoras de inyección de tinta. También adquieren una mayor calidad.

Por consumible entendemos los cartuchos de tinta de las impresoras de inyección o los llamados tóneres de las impresoras láser.

- **Multifunción:** Al igual que la impresora, éstas también las podemos encontrar de inyección de tinta o láser. Este tipo de impresoras cuentan con un escáner, que nos permite hacer fotocopias sin tener que utilizar el ordenador, y además, podemos escanear documentos para, por ejemplo, enviarlos por correo electrónicos o editarlos. Gracias a este dispositivo, podremos guardar en nuestro equipo fotografías antiguas para crear álbumes digitales y así no perderlas, aunque las originales se deterioren.

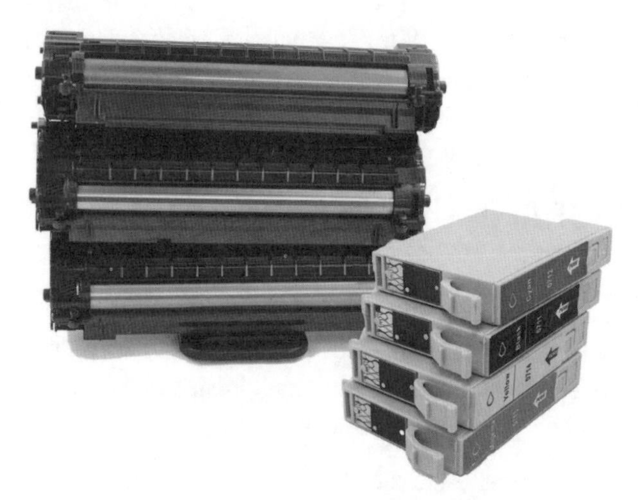

Figura 9.5. *Cartuchos para impresoras de inyección y para una impresora láser.*

Figura 9.6. *Una multifunción es como una impresora con escáner incorporado.*

- **Multifunción fax:** Brinda las mismas posibilidades que el dispositivo anterior, pero, además, tenemos la posibilidad de poder enviar faxes mediante una línea telefónica tradicional o a través de Internet.

¿Qué tenéis que tener en cuenta a la hora de comprar una impresora o una multifunción? ¿De qué tipo, con inyección de tinta o láser? Algo que sabemos es que la multifunción es mucho más completa y práctica a la hora de manipular documentos, pero, en el caso de que simplemente nos interese imprimir ciertos escritos o alguna imagen, ¡es perfecta! Respecto al tipo de tinta utilizado, depende de la cantidad de trabajo que queramos realizar. Las impresoras o multifunciones láser tienen una mayor autonomía y su calidad es superior a la de una impresa común.

Hoy en día, no es necesario tener una impresora conectada físicamente a un dispositivo como un ordenador. Muchas de ellas cuentan con conexión inalámbrica, lo que nos resulta muy útil a la hora de compartir la impresora con varios equipos.

SINTONIZADORA DE TV
Y CAPTURADORA DE VÍDEO

Es muy común encontrar ordenadores de salón conectados a una televisión de grandes dimensiones para disfrutar de una completa experiencia multimedia. Con este sistema, evitamos tener conectado varios aparatos a la TV, pero, para ello, necesitamos que nuestro equipo esté lo suficientemente equipado.

Necesitaremos una sintonizadora de TV, que podemos encontrar con conexión interna o externa. Teniendo en cuenta el tema de la comodidad, es mucho mejor una sincronizadora de TV externa, de modo que, si queremos conectarla a otro equipo, esto resultará mucho más sencillo.

La sintonizadora de TV nos permite sintonizar los canales de televisión simplemente conectando el cable de antena de la TV. De esta manera, podremos ver directamente desde nuestro ordenador los canales de televisión que dispongan de emisión en abierto. El software que incluye este dispositivo también nos permite realizar grabaciones de las emisiones que más nos gusten, incluso podemos programarlas para que éstas se graben de forma autónoma. Estas grabaciones generarán archivos de vídeos que serán almacenados automáticamente en nuestro ordenador. ¡Ya no nos perderemos ese programa que tanto nos gusta nunca más!

Otro periférico muy interesante es la capturadora de vídeo. Imaginemos que tenemos un vídeo en una cinta VHS y queremos poder grabarlo en un CD o DVD, ¿podemos hacerlo? ¡Pues claro! Para ello necesitaremos una capturadora de vídeo.

Al igual que las sintonizadoras, disponemos de versiones internas y externas, aunque los fabricantes están optando por los periféricos externos. Este dispositivo se utiliza para capturar vídeos de cualquier fuente externa, como por ejemplo, un vídeo VHS, una videocámara, etc. Las capturadoras suelen contar con el suficiente software para poder editar cualquier tipo de vídeo que capturemos, así como convertirlos a diferentes formatos o incluso subirlos a Internet.

¡Ahora sí que podemos presumir de PC!

Más espacio y más memoria

Hoy en día, cualquier ordenador cuenta con una configuración adecuada para poder realizar prácticamente cualquier tarea, pero, si somos unos apasionados de la fotografía, la edición de vídeo, los videojuegos o la música, por ejemplo, necesitaremos incrementar los recursos principales de nuestro equipo: la memoria y el almacenamiento.

Cuando hablamos de memoria, nos referimos a la memoria RAM, mencionada en capítulos anteriores. Para aumentar la memoria de nuestros equipos, es necesario abrir nuestra caja o torre y asegurarnos de que nuestra placa base admite el aumento de memoria. Podemos encontrar varias aplicaciones que nos indiquen cuál es la cantidad máxima de memoria que permite nuestra placa, aunque lo más sencillo es recurrir al manual del fabricante, el cual debe indicar este dato. Recordemos que en la memoria RAM se almacenan los programas que se están ejecutando, por lo que a más memoria, mayor capacidad para ejecutar aplicaciones de manera simultánea.

Al contrario que la memoria, para aumentar la capacidad de almacenamiento de nuestro equipo, no es necesario hacer una expedición por el interior de nuestra torre. En el mercado actual, disponemos de discos duros externos de diferentes capacidades y tamaños. Al optar por un disco duro externo, ganamos movilidad, de manera que, si queremos compartir información con nuestros amigos, esta tarea es mucho más sencilla.

Figura 9.7. *Módulos de memoria RAM.*

En el caso de que la cantidad de datos que nos gustaría almacenar no sea muy elevada, más bien archivos pequeños, podemos optar por utilizar los famosos *pendrives* o memorias USB. ¡Son mucho más cómodos de transportar!

También podemos sacarle partido a nuestro disco duro externo llevando a cabo copias de seguridad en él, ¿recordáis que en el capítulo 6 aprendimos a hacer una? De esta manera, si el disco duro interno sufre alguna avería o perdemos nuestros datos de manera accidental, podremos recuperarlos a través de dicha copia de seguridad.

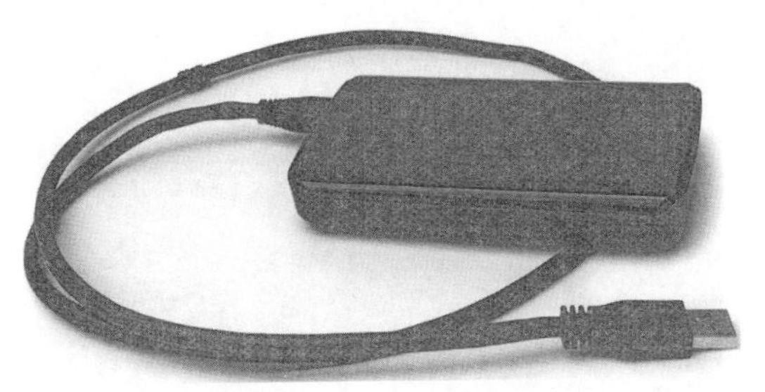

Figura 9.8. *Disco duro externo.*

CAMBIA LA IMAGEN DE TU PC "MODDING"

¿Cansados del típico aspecto de vuestro PC? Esa torre sin colores, nada que la haga destacar. Estamos seguros de que a muchos de vosotros os gusta desmarcaros de lo habitual; por eso, os presentamos el *modding*. ¿Qué es el *modding*? Se puede definir como el arte de personalizar nuestro ordenador añadiéndole complementos vistosos y llamativos. Podemos decir que *modding* es algo así como "tunear".

La idea del *modding* es modificar la estética y funcionamiento de las distintas partes de un ordenador, desde la caja, hasta el teclado o monitor. Se pueden realizar modificaciones prácticamente en cualquier parte del equipo, incluso actualmente también se realizan en videoconsolas. ¿Cuál es nuestra recomendación? Si os introducís en el mundo del *modding*, os recomendamos que empecéis realizando modificaciones visuales y, una vez que tengáis más experiencia, podáis realizar modificaciones de hardware, como por ejemplo el *overclock*.

Figura 9.9. *¡Este PC ha practicado el modding!*

NOTA

El overclock consiste en incrementar la velocidad configurada por defecto en nuestro microprocesador. Para ello, es necesario mejorar la ventilación de nuestro equipo debido al aumento de temperatura que sufre.

Algunas de las modificaciones más comunes a la hora de hacer *modding* son:

- Sustitución de las tapas metálicas del ordenador por tapas de metacrilato, para hacer visible el interior del mismo.
- Sustitución de los cables IDE, SATA y de alimentación por cables redondos con fundas de colores fluorescentes.
- Colocación de elementos visuales avanzados, como rejillas, logotipos o serigrafías.
- Sustitución total o parcial de los elementos activos de refrigeración (ventiladores) por disipadores de cobre y aluminio de gran tamaño o, en su defecto, por un sistema de refrigeración líquida.
- Colocación de ventiladores iluminados con reguladores de velocidad.
- Colocación de barras de neón de colores fluorescentes con sistema de control de intensidad y color de luz.
- Pintado interior y exterior incluso de los componentes electrónicos del equipo.

Los materiales más utilizados para llevar a cabo estas modificaciones son la madera, la fibra de vidrio, aluminio y cobre, siendo este último utilizado para los sistemas de refrigeración.

Si las modificaciones no se realizan con cuidado y tomando las medidas de protección adecuadas y necesarias, nuestro equipo puede sufrir distintas averías relacionadas con los componentes electrónicos.

Hasta aquí hemos llegado después de este recorrido por los distintos elementos que pueden hacer más bonito y atractivo nuestro PC. ¡Nos vemos en el próximo capítulo!

Tabletas
y smartphones

Denominados como los ordenadores del siglo XXI, son sin duda los dispositivos de moda, pues nos permiten hacer prácticamente lo mismo que un ordenador convencional, con la versatilidad de un portátil, pero con mayor autonomía y menor peso y tamaño. Al ser un producto relativamente reciente en el mercado, existen numerosos modelos y marcas, por lo que la decisión a la hora de adquirir uno de estos dispositivos se hace algo complicada.

¿Qué tableta o smartphone compro?

No todo el mundo necesita una tableta o un *smartphone* forzosamente, pero a mucha gente le pica la curiosidad y desean probar este tipo de dispositivos. ¿Os pasa esto a vosotros? Es muy común que las personas pregunten qué tipo de dispositivo deben comprar, así que, para tener claro esto, debemos pensar qué es lo que necesitamos y qué uso le vamos a dar.

Partiendo de la idea de que con ambos dispositivos se puede hacer prácticamente lo mismo, la diferencia principal es que con un *smartphone* podemos realizar llamadas telefónicas y con una tableta no, aunque es posible con algunos modelos. Otro factor determinante es el tamaño; podemos llevar "nuestra vida" en el bolsillo durante todo el día o bien disfrutar de una experiencia a mayor escala. ¡Pero, cuidado, no lo perdáis!

¡Comencemos hablando de los smartphones!

Su principal ventaja es su tamaño, aunque cada día sus pantallas son más grandes; aun así, siguen siendo fáciles de transportar pudiendo disponer de todo su potencial en cualquier lugar. Un *smartphone* está pensado para disponer de una conexión a Internet, pudiendo ser la red Wi-Fi de nuestro hogar o bien la conexión de datos que tengamos contratada con nuestra operadora de telefonía móvil. Si queremos aprovechar al máximo todas las características del teléfono, optaremos por una conexión de Internet móvil o 3G.

Figura 10.1. *Con un smartphone, ¡podréis hacer prácticamente de todo!*

> *¿Qué es 3G? Se trata de la red de cobertura móvil de tercera generación, que proporciona velocidades de transmisión de datos superiores a los 3 Mbit/s.*

Un factor determinante a la hora de escoger un *smartphone* es la cámara de fotos. Esta característica la implementa cualquier teléfono actual, pero su calidad hará que el precio del terminal se dispare fácilmente. Si somos unos amantes de la fotografía, hay fabricantes que destacan en este aspecto, como por ejemplo Sony, que cuenta con cámaras digitales de 12 megapíxeles capaces de grabar vídeos en FullHD. ¡Un cosa que debéis saber! Lo realmente importante es la calidad del sensor y no la cantidad de megapíxeles de la cámara.

Si somos unos "jugones", necesitaremos que nuestro terminal tenga un procesador y una memoria de gran capacidad y potencia. En este aspecto, el fabricante Samsung se lleva la palma. Su último terminal cuenta con una versión que incorpora, además de 2 GB de memoria RAM, ¡la friolera de 8 núcleos de procesamiento! Ya podemos ir olvidándonos de nuestro ordenador, con estas características seremos capaces de hacer cualquier cosa con nuestro teléfono.

Los núcleos de procesamiento forman parte del procesador de nuestro dispositivo. Si el procesador es el cerebro, sus núcleos serían algo así como sus hemisferios, de manera que a más núcleos, mayor es la capacidad y menor será el tiempo en el que se realicen las tareas.

Hay dos características muy importantes que nos hará decidirnos por un terminal u otro. El primero es la pantalla; las hay de muchos tamaños y el estándar más vendido actualmente se sitúa entre las 4 y las 4,7 pulgadas, un tamaño algo elevado para algunas manos. La siguiente característica está directamente relacionada con todo lo mencionado anteriormente y es la batería; cuanto mayor sea el terminal, mayor es la batería y más capacidad tiene, pero también será mayor su pantalla, lo que reduce notablemente su autonomía. Así que recuerda: cuanto mayor sea el tamaño, ¡mayor será el consumo de batería!

Figura 10.2. *Gracias a estos dispositivos, podemos realizar fotografías en el momento*

Por último, hay que mencionar el tema de la conectividad. Cualquier *smartphone* cuenta con Wi-Fi y con 3G, que son los estándares habituales para las conexiones de Internet, sumándole la conexión Bluetooth para conectar dispositivos de audio o bien compartir archivos. Actualmente, en los terminales de gama media-alta, se incluye un chip denominado NFC, el cual permite transmitir audio y archivos con tan solamente acercar el teléfono a otro dispositivo que cuente con esta tecnología. ¡Nunca compartir ha resultado tan fácil! Antes de escoger un *smartphone*, debemos tener claro el tipo de uso le daremos. ¡Es importante! Si sólo queremos un teléfono para utilizar alguna red social, realizar llamadas y enviar algún SMS, deberíamos optar por un teléfono de gama media, con una pantalla de tamaño intermedio. De esta manera, ganaremos duración de batería cubriendo todas nuestras necesidades.

¡Pasemos a hablar de las tabletas!

Son el relevo generacional de los ordenadores portátiles, o más bien de los *netbook*. Poseen sistemas operativos muy intuitivos y unas características prácticamente idénticas a las de un *smartphone*, salvo el tamaño de la pantalla y, en algunas ocasiones, la existencia de un puerto USB o una salida HDMI.

Recordemos que una salida HDMI nos proporciona una salida de vídeo en alta definición, pudiendo conectar el dispositivo en cuestión a un televisor o monitor que cuente con esta misma conexión.

Entonces, si una tableta tiene las mismas características que un *smartphone* y ya cuento con un *smartphone*, ¿para qué quiero la tableta? Hay que entender que la tableta proporciona unas ventajas que no tenemos en el teléfono. Éstas son las siguientes:

- Mayor tamaño de pantalla para poder leer libros electrónicos, ver películas o jugar a videojuegos.
- Batería de mayor capacidad, por lo que aumenta la autonomía para tareas multimedia.
- Posibilidad de conectar un teclado y un ratón para facilitar su utilización.

- Mayor capacidad de almacenamiento interno que en la mayoría de *smartphones*.
- Gracias a su tamaño y movilidad, su uso está muy aconsejado para realizar trabajos de oficina y educacional.

Figura 10.3. *Las tabletas poseen pantalla más grande que los smartphones*

Después de conocer las ventajas que nos ofrece este tipo de dispositivo, hablemos de los tamaños de sus pantallas. Éstas van de las 7 pulgadas hasta las 10. Hagamos un recorrido por los estándares de pantallas habituales a la hora de escoger una tableta.

- **7 pulgadas:** Formato panorámico, muy cómodo para utilizar con una sola mano. Tamaño adecuado para utilizar como lector de libros digitales.
- **8 pulgadas:** Con un aspecto más cuadrado, parece que existe bastante diferencia entre las 7 y las 8 pulgadas, pero la realidad es que la experiencia de uso es muy similar.
- **9 a 9,7 pulgadas:** Formato de pantalla algo menos panorámico, probablemente sea el más extendido. Tamaño muy manejable, perfecto para ver películas y jugar a videojuegos.

- **10 pulgadas:** Prácticamente idéntico al anterior, pero con formato totalmente panorámico, perfecto para el visionado de películas, elaboración de documentos o tareas de oficina.

¿Qué sistema operativo utilizo?

El último paso a la hora de escoger una tableta o un *smartphone* es decidir el sistema operativo que queremos. Podemos optar por Windows 8, iOS y Android. Donde encontraremos más variedad de modelos y una amplia gama de precios es en Android. Es la opción más adecuada para comenzar a utilizar este tipo de dispositivos, dispone de multitud de aplicaciones gratuitas en su tienda y todo ello bajo la supervisión de Google. Por otro lado, tenemos la posibilidad de mantener el mismo sistema operativo que en nuestros ordenadores. Windows 8 dispone de una versión para tableta, diseñada y optimizada exclusivamente para este tipo de dispositivos, de manera que podremos usar el mismo software que en nuestros ordenadores. Hay bastante variedad de tabletas con Windows 8, pero su precio es algo elevado si lo comparamos con los dispositivos que cuentan con Android.

Por último, hablemos del sistema operativo iOS de Apple. Es para muchos el sistema más intuitivo y sencillo de usar, cuenta con una tienda de aplicaciones muy completa donde podremos encontrar prácticamente de todo. Sus dispositivos son de gran calidad, con unos acabados muy cuidados y materiales muy duraderos, pero esto hace que sus precios sean algo prohibitivos para muchos de nosotros.

En resumen, si vais a empezar en el mundo de los *smartphones* y las tabletas (¡no las de chocolate ¿eh?!) sin gastar mucho dinero, ¡Android es vuestro aliado! Si por el contrario, queréis seguir utilizando el mismo sistema operativo de vuestro ordenador, deberías optar por Windows 8. Pero, si lo que queréis es tener una marca de renombre con una reputación sobresaliente, sin importar lo que cueste, iOS deberá ser vuestra elección.

Empezando a usar los dispositivos

¡Muy bien! Ya tenemos nuestros dispositivos ya sean Android o iOS, pero, ¿y ahora qué? Pues bien, vamos a daros unas nociones básicas para que podáis comenzar lo antes posible.

Botones principales

Todos vienen dotados de una botonera, mediante la cual podemos realizar varias operaciones esenciales.

Figura 10.4. *Botones principales de ambos dispositivos*

Android

- **Botón Inicio o Home** (⌂): Con este botón, el cual suele ser un botón físico, podemos ir directamente al escritorio principal. Si tenemos alguna aplicación abierta, ésta desaparecerá de la pantalla inmediatamente pero quedará en segundo plano, es decir, accesible en cualquier momento.

  Dejando pulsado este botón, nos aparecerán las aplicaciones que tenemos en segundo plano. Si accedemos a ellas, veremos que permanecen en el mismo estado en el que las dejamos cuando pulsamos Inicio.

- **Botón Atrás** (↩): Normalmente es táctil y puede estar situado a la izquierda o derecha del botón Inicio. Su función es la de volver a un estado anterior del que nos encontramos en ese momento, es decir, si estamos visitando una página Web y pulsamos Atrás, iremos a la página que hemos visitado anteriormente. Si pulsamos repetidas veces este botón, llegaremos al escritorio de nuestro dispositivo.

- **Botón Opciones/Multitarea (▤):** Dependiendo de la versión de nuestro sistema operativo Android, este botón tendrá una o dos funciones. La primera función es la de mostrar las opciones de la aplicación que tengamos abierta, o bien, las opciones básicas del sistema operativo. La segunda función es la de mostrar las aplicaciones que están en segundo plano, es decir, aquellas que dejamos abiertas cuando volvemos al escritorio mediante el botón Inicio.
- **Botón Búsqueda ():** Como su propio nombre indica, pulsando este botón, tendremos la opción de buscar contenido dentro de nuestro dispositivo. Además, podremos optar por redireccionar nuestra búsqueda directamente hacia Internet.

Algunos dispositivos cuentan con tres de los botones nombrados, pero otros disponen de los cuatro.

iOS

Si algo caracteriza a iOS es su sencillez, por ello, cuenta con un único botón. Este botón, que recibe el nombre de Inicio o Home, tiene varias funciones:

- **Captura de pantalla:** Si pulsamos simultáneamente el botón de encendido y el botón Inicio, se realizará una captura de pantalla guardando dicha imagen con aquello que se esté mostrando en la pantalla en ese momento.
- **Volver al escritorio:** Sin importar donde nos encontremos, si pulsamos este botón nos iremos al escritorio de nuestro dispositivo. Una vez en el escritorio, si lo volvemos a pulsar, iremos directamente al primer escritorio, en el caso que dispongamos de más de uno.
- **Búsqueda:** Encontrándonos en el escritorio principal, pulsamos el botón Inicio y nos aparecerá un formulario de búsqueda, mediante el cual, podemos encontrar cualquier cosa que se encuentre en nuestro dispositivo, o bien, directamente en Internet.

- **Multitarea:** Pulsando dos veces rápidamente, nos aparecerán las aplicaciones que tengamos en segundo plano, es decir, aquellas que dejamos abiertas cuando volvemos al escritorio. Esta lista de aplicaciones se mostrará en una franja inferior, pudiendo acceder a cualquiera de ellas rápidamente.
- **Siri:** Dejando pulsado este botón, podremos acceder a Siri, un sistema mediante el cual podemos hablar con nuestro dispositivo, para preguntarle prácticamente lo que queramos.

Algo necesario

Es importante que antes de empezar a usar nuestros dispostivos leamos el manual de usuario que cada fabricante nos facilita para poder conocer a fondo su funcionamiento y sacarle el mejor partido.

En estas páginas no podemos explicar todas las características ni ayudarle a configurar su dispositivo paso a paso puesto que no es la finalizad del libro y tampoco disponemos de espacio suficiente para ello. Sin embargo vamos a hacer hincapié en algo que sin ello, nuestras tabletas o smartphones estarían incompletos. Nos referimos a las cuentas Google y Apple ID. Sin ellas no podremos acceder todos los servicios que nos pueden ofrecer nuestros dispositivos.

Cuenta Google para Android

¿Qué es lo primero que vamos a hacer? Para empezar, necesitamos una cuenta Google para poder acceder a los servicios que nos proporciona Android. Si no disponemos de una, podremos crearla desde nuestro dispositivo.

Una cuenta Google es la misma que utilizamos para gestionar nuestro correo Gmail. ¡El mismo nombre de usuario y la misma contraseña!

Cuando encendamos nuestro dispositivo por primera vez, éste nos dará la bienvenida y la opción de escoger un idioma. Una vez hecho esto, nos preguntará si queremos acceder a nuestra cuenta de Google, o bien, si queremos crear una (véase la figura 10.5). Si no tenemos una simplemente tendremos que seguir los pasos que nos muestra nuestra dispositivo.

Figura 10.5. *Añadir una cuenta de Google*

Google también nos preguntará si deseamos vincular una tarjeta de crédito a nuestra cuenta, de esta manera podremos comprar fácilmente cualquier aplicación que no sea gratuita. ¡No es obligatorio!

Ahora que hemos iniciado sesión con nuestra cuenta, tendremos la opción de sincronizar nuestro dispositivo. Esta sincronización se realiza cada vez que estemos conectados a Internet, de manera que podemos tener siempre actualizados en nuestro dispositivo los contactos, calendarios, correo electrónico y el historial del navegador.

¿Y si ya tenemos una cuenta Google? Tan solo debemos pulsar **Usar cuenta** y añadir nuestros datos. El sistema la reconocerá automáticamente y podremos acceder a los servicios de Google al instante.

Crear ID de Apple para iOS

Cuando nos hacemos con uno de estos dispositivos, lo primero que nos encontramos es la selección de idioma, al igual que en Android. Posteriormente, nos mostrará una lista de redes inalámbricas para comenzar con la activación del dispositivo.

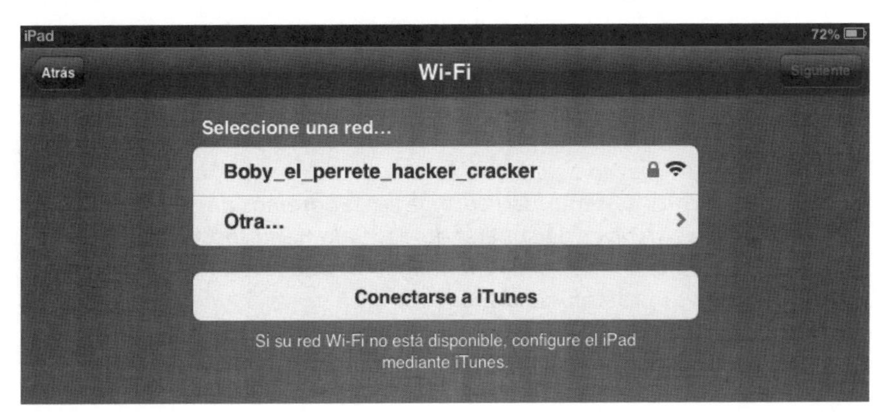

Figura 10.6. *Seleccion de Wi-Fi al iniciar iPad*

El siguiente paso es activar la localización. Esto facilita a las aplicaciones proporcionarnos información en función de nuestra posición aproximada. Nos preguntarán si queremos configurar el dispositivo como nuevo, es decir, como si fuera el primer dispositivo iOS que utilizamos. Si es así, escogemos esa opción.

¡Es el momento de crear nuestra ID de Apple! Es gratuito y con él podremos acceder a la tienda de aplicaciones, además de tener vinculado nuestro dispositivo a una cuenta de email. A través de un proceso similar al de Android y siguiendo unos pasos obtendremos nuestra propia ID.

Una ID de Apple te permite personalizar tu vivencia en Internet con Apple. Una vez creada, podrás utilizarla para acceder a todos aquellos recursos de Apple en Internet que requieran tu identificación.

Por último, opcionalmente, podremos añadir un correo electrónico de recuperación, para poder recuperar la contraseña en caso de olvido. También nos preguntarán si queremos recibir por email actualizaciones y noticias de Apple. ¡Esto lo dejamos a vuestra elección!

¡Y Listo! Ahora decidiremos si queremos utilizar los servicios de iCloud, configurar nuestro servicio de correo, utilizar el sistema Siri y si queremos enviar el informe de errores automáticamente a Apple en caso de que algo no funcione bien.

iCloud es un novedoso sistema de Apple que nos proporciona un servicio de copias de seguridad automático. Podremos disponer de todos nuestros archivos personales desde cualquier dispositivo Apple, así como seguridad en caso de que tengamos que restaurarlas a causa de un error o por cambio de dispositivo.

Navegar por los diferentes escritorios

Al igual que los ordenadores, estos dispositivos cuentan con un escritorio, aunque normalmente podemos disponer de varios. Podemos definir escritorio como el punto de partida de todas las funciones. Para tener una visión general de todos los escritorios de nuestro dispositivo Android, debemos darle un pellizco a la pantalla juntando los dedos. Veremos cómo se muestran todos los escritorios disponibles. Si nos fijamos, uno de esos escritorios, tiene una imagen de una casa en la parte inferior, lo cual la identifica como escritorio principal.

Para navegar por los escritorios disponibles, solamente tenemos que deslizar el dedo de izquierda a derecha o viceversa.

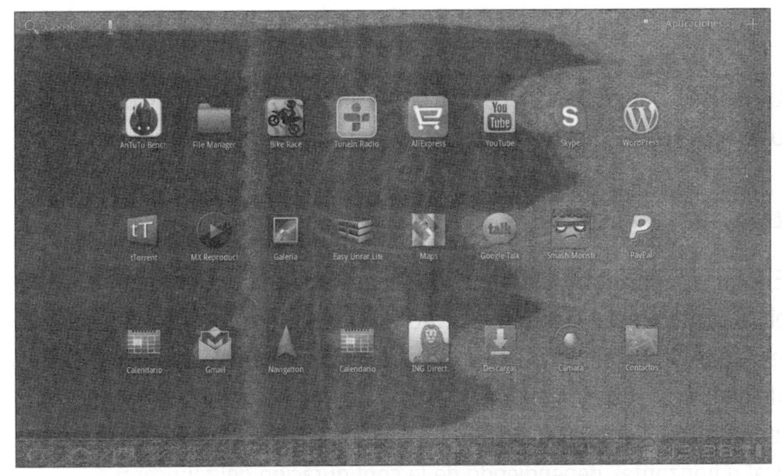

Figura 10.7. *Escritorio tableta Android*

Al igual que en Android, en nuestro dispositivo con iOS podemos disponer de tantos escritorios como necesitemos. Estos escritorios son pantallas en las que se van alojando los iconos de las aplicaciones o las carpetas que creamos.

Figura 10.8. *Escritorio iOS de un iPad*

Aplicaciones

La mejor forma de sacar partido a nuestros dispositivos es hacerse con las mejores aplicaciones del mercado. Conozcamos algo sobre ellas.

Aplicaciones Android

El lugar donde encontraréis todas las aplicaciones que se encuentran instaladas en el dispositivo es el cajón de aplicaciones, tanto las que trae de fábrica como aquellas que habéis descargado e instalado. Para acceder a él, se encuentra normalmente en la parte inferior central del escritorio, representado por un símbolo con 4 o 6 puntos. Una vez dentro, podemos movernos entre las aplicaciones de manera vertical u horizontal, dependiendo de la configuración del fabricante.

Figura 10.9. *Cajón de aplicaciones de Android*

Google Play es la tienda de aplicaciones de Android, donde tendremos millones de aplicaciones a nuestra disposición. Veréis que es muy sencillo desplazarse por allí. En la figura 10.10 vemos una visión general de ella.

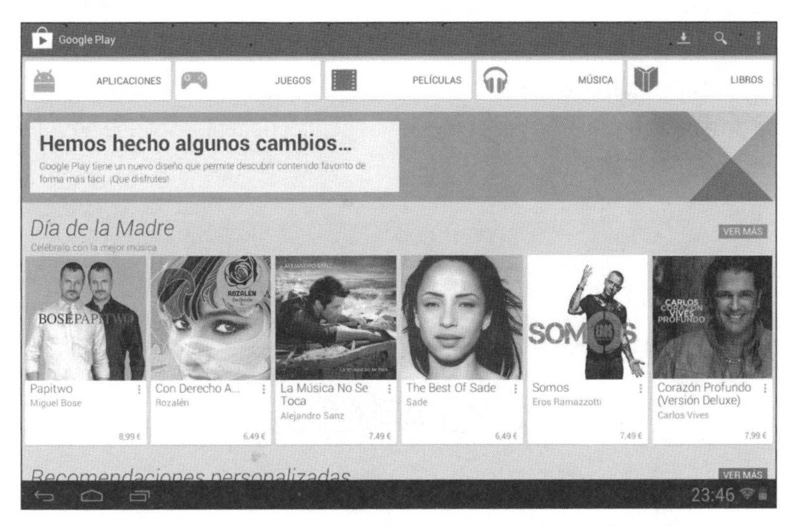

Figura 10.10. *Google Play, la tienda de aplicaciones de Android*

- Para buscar cualquier aplicación que queramos instalar, debemos pulsar en la lupa que está situada en la parte superior derecha y posteriormente escribir el nombre de la aplicación en el campo que tenemos en la parte superior izquierda.

- Una vez encontrada la aplicación, tan solo tendremos que pulsar sobre el botón Instalar, situado en la parte derecha de la pantalla y confirmar la instalación de la aplicación. ¿Y si deseamos desinstalar una aplicación? ¡Muy fácil! Accederemos a Ajustes y pulsaremos Aplicaciones. Simplemente seleccionando la aplicación a desinstalar, aparecerá información de ésta y pulsaremos el botón **Desinstalar**. ¡Desaparecerá de nuestro dispositivo!

APLICACIONES IOS

El término cajón de aplicaciones no es realmente aplicable al sistema operativo iOS, debido a que todas las aplicaciones están disponibles directamente en los escritorios, los cuales se crean en función del número de aplicaciones instaladas.

Para instalar aplicaciones en nuestro dispositivo, accederemos a la App Store, (tienda de aplicaciones). Una vez que estamos dentro, podemos ver qué nos ofrecen. ¡Echadle un vistazo!

Figura 10.11. *La tienda de aplicaciones de Apple recibe el nombre de App Store*

Descargar aplicaciones en la App Store es muy sencillo; además de un listado de categorías, disponemos de un sistema de búsqueda al que podemos acceder directamente desde la parte superior derecha de la pantalla. Para instalarla, tan solo tenemos que pulsar sobre el botón **Instalar**, ubicada en la parte superior derecha de la pantalla. Mientras se instala la aplicación, podemos buscar e instalar otras aplicaciones, pues nuestro sistema operativo tiene la cualidad de realizar varias instalaciones simultáneas.

Consejos de seguridad en Android

¡Cuidado con quien manipula nuestro dispositivo! Para ello, os vamos a dar a conocer los sistemas de seguridad de los que dispone.

Lo primero de todo, es dotar a nuestra tableta o smartphone de un antivirus adecuado para evitar problemas a la hora de instalar aplicaciones desconocidas. En Google Play podemos optar por dos sistemas antivirus gratuitos de gran calidad, AVG y Avast. ¿Os acordáis de ellos? ¡Son igual de efectivos tanto para ordenadores como para dispositivos táctiles! Tener un sistema antivirus actualizado en nuestro dispositivo nos evitará que ciertas aplicaciones roben información de nuestro aparato o nos vuelvan locos con gran cantidad de publicidad.

¿A que a muchos de vosotros no os gusta que toquen vuestras cosas? Seguro que ocurre lo mismo con vuestro smartphone o tableta. Para ello, tenemos varias alternativas, pero las más sencillas de utilizar son el patrón de desbloqueo, el pin y el desbloqueo facial. Para la activación de estas características debemos entrar en Ajustes, pulsamos **Seguridad** y allí veremos varias opciones, siendo las más aconsejables las mencionadas anteriormente.

Consejos de seguridad en iOS

Apple exige mucho a los desarrolladores de aplicaciones, y esto significa que no nos encontraremos con un software malicioso en la App Store. Por ello, no necesitamos tener instalado un antivirus.

Para gestionar los contenidos de nuestro dispositivo iOS, deberemos utilizar iTunes. Esta aplicación se encargará de realizar copias de seguridad automáticamente cada vez que conectemos nuestro dispositivo al PC. Otra opción para realizar nuestras copias de seguridad, es utilizar iCloud. Gracias a este sistema, podemos almacenar los archivos más importantes de nuestro dispositivo en un servicio de almacenamiento en la nube. Podemos crearla también desde iTunes y rescatarlas directamente desde nuestra tableta o *smartphone* con solo tener una conexión a Internet.

Al igual que en Android, en iOS disponemos de varios sistemas para que terceras personas no manipulen nuestro dispositivo sin nuestro permiso. **Restricciones** nos permite bloquear aplicaciones, para que al intentar utilizarlas, nos solicite un código de seguridad.

Existe otra opción que es muy similar a la utilizada en Android. Se trata de un código de desbloqueo de cuatro dígitos, el cual habrá que introducir cada vez que desbloqueemos el dispositivo. Para que esto no sea muy repetitivo, podemos cambiar el tiempo de bloqueo automático de pantalla, para que la petición del código no sea tan constante.

Es interesante comentar una característica que tienen todos los dispositivos iOS, se llama **Buscar mi iPhone, iPad, iPod Touch o Mac**. En caso de que perdamos nuestro dispositivo, a través de un ordenador podemos saber dónde se encuentra, incluso podemos bloquearlo mediante una clave o hacer que sea imposible el borrado de sus datos. ¡Todo esto de manera remota!

Índice alfabético

D

E

F

G

H

I

J

L

M

N

O

P

Q